Kees van Kooten
De verrekijker

Inclusief de
Literagenda
2013-2014

D1298326

Stichting Collectieve
Propaganda van het
Nederlandse Boek

Dit boek is gedrukt op 100% chloorvrij
geproduceerd papier.

De data in de Literagenda 2013-2014 zijn met de grootst
mogelijke zorg verzameld. Wijzigingen voorbehouden.
Voor actuele data zie www.cpnb.nl.

Dit Boekenweekgeschenk
wordt u aangeboden
door uw boekverkoper.

maart *Deze week zeggen noch schrijven af of de slagroom op de taart is of de h*

week 11	maandag 11	dinsdag 12	woensdag 13
	Shortlist Libris Literatuur prijs		
	Jeugdboeken- week, VLAANDEREN	*Jeugdboeken- week,* VLAANDEREN	*Jeugdboeken- week,* VLAANDEREN

2   Aan de overkant van de straat valt niets bijzonders te zien en ik heb hem nog nooit mee naar buiten genomen. Daar is mijn verrekijker te mooi voor.

De veelheid van materialen waaruit hij wie weet hoe lang geleden is vervaardigd – glas, messing, bakeliet, geelkoper, zwart leer – geeft hem een unieke geur die onverflauwd is gebleven, mijn leven lang.

Zevenmaal is de verrekijker meeverhuisd. Hij bivakkeerde op vreemde zolders en op schoorsteenmantels, hing aan kapstokken, stond onder aanrechten en in meterkasten, heeft zich een jaar lang schuilgehouden in een dekenkist en toch, hij staat hier voor me, bleef hij onverminderd naar zichzelf ruiken.

En naar mijn vader, wanneer wij samen driehoog op ons balkon stonden en hij achter mij hurkte, zijn armen om mij heen sloeg, het loodzware gevaarte voor mijn ogen hief en net zo lang het scherpstelwieltje heen en terug draaide tot ik de koeien in het weiland zo dichtbij zag staan dat de verderkijker, want zo noemde ik hem, een kijkdoos leek. Alle dingen voor het grijpen.

En dan moest ik tweemaal *Schip ahoy!* roepen, denkelijk omdat mijn grootvader, machinist op de wilde vaart, twee jaar daarvoor was overleden. Dat las ik nu pas, in mijn vaders zakagenda van 1942, bij 15 december:

Wegens verduistering met Kees in kinderwagen in looppas naar Hoefkade voor stervende Pa. Gelukkig net op tijd.

Dus kraaide ik in triomf en uit mateloze liefde: *Sippahooi sippahooi!*

Voor mij alleen was de verderkijker veel te zwaar.

Op eigen houtje met hem spelend slaagde ik er amper in de tovermachine horizontaal te tillen en bekeek ik voornamelijk

donderdag 14	vrijdag 15	zaterdag 16	zondag 17
Dag van de Literatuur, ROTTERDAM tentoonstelling Jan Siebelink SCK DEN HAAG jeugdboeken-week, VLAANDEREN	BOEKENBAL AMSTERDAM jeugdboeken-week, VLAANDEREN	START BOEKENWEEK → idem START LITERAIRE LENTE, VLAANDEREN } → idem Russische avant garde (boekillustraties) } → t/m 2 juni 2013 MEERMANNO, DEN HAAG → idem	idem → idem

3

ons vloerkleed. Rare dikke tafelpoten, ballonnen van verfblaasjes op de plint, veel te hoge waterbak voor hond.

De verderkijker verkeerd om vasthouden, met nog net twee smalle maantjes van de beide bolle glazen voor mijn ogen, was nog enger.

Heel in de verte vreemde kleine moeder bij het raam. Gelukkig wel nog met haar eigen stem.

Aangezien mijn vader mij de juiste manier van verrekijken had onderwezen – je moet met beurtelings dichtgeknepen ogen het oculair blijven scherp stellen totdat de twee lensrondingen samenvallen en één grote cirkel vormen –, begon ik tien jaar later bij cowboyfilms van boven de veertien te schamperen zodra de regisseur het beeldclichétrucje van de twee kringen met hun klokhuisvormige tussenwand van stal haalde; om ons zogenaamd te laten meekijken met de hoofdrolspeler die zijn verrekijker op de woestijn richtte, speurend of die stofwolk in de verte wellicht werd veroorzaakt door het galopperende paard van zijn naderende aartsvijand.

Mooie superheld, die niet eens wist hoe hij zijn verrekijker scherp moest stellen!

Ik lees in dit moment een heel dik boek van ritseldun papier.
Het boek heeft meer dan tweeduizend bladzijden.
Het is geschreven met de Franse taal.
Daarom lees ik dit boek door de hulp van een woordenboek.
Ik ben nog lang niet op de helft.
Maar ik zal het helemaal uitlezen.
Want ik krijg maar nooit genoeg van dit boek.
Het is ook zeer om te lachen.
En ik leer veel van insecten en het leven der mensen.
Als ik dit nog maar allemaal onthoud.

maart zeggen noch schrijven dat alles beter was toen wij het nog slecht hadden

week 12	maandag 18	dinsdag 19	woensdag 20
	BOEKENWEEK	BOEKENWEEK	Boekenweek Live - AMSTERDAM
	LITERAIRE LENTE, VLAANDEREN → *idem*		Wereldvertel- dag
		sterfdag Hugo Claus 2008	afsluiting De weddenschap stichting Lezen

4   De schrijver is bijna reeds honderd jaar dood.
Het huis waarin hij mijn boek schreef is nu een museum.

De foto is bewogen, want net toen Barbara afdrukte sprong ik als door een hoornaar gestoken overeind, denkend dat ik de suppoost de trap op hoorde komen.

Dat was ook zo.

Wij waren de enige bezoekers van l'Harmas de Fabre, vijf kilometer buiten het Franse stadje Sérignan-du-Comtat aan een voet van de Mont Ventoux, en wij stonden, op een haar na betrapt, in de Teylers-achtige werkkamer van de entomoloog alias insectenkundige, humanist, filosoof, naturalist, docent, bioloog, wiskundige, schrijver, dichter, tekenaar en schilder Jean-Henri Fabre (1823-1915), achter wiens piepkleine werktafel ik krap twee eerbiedige minuten had gezeten – lang genoeg om met mijn uitschuifbare *mètre*, die ik speciaal voor dit doel bij mij had gestoken, de maten hiervan op te nemen.

Fabres werkblad bleek 48 bij 112 centimeter klein te zijn.

En er zat een smalle lade onder, die, op wat inktvlekken na, geheel leeg was. Op internet kunt u dit tafeltje vinden. De bioloog zelf zit erachter, met de kroontjespenhouder in zijn hand en een zwarte flambard op het grijsgelokte hoofd, klaar om op te springen en zijn tuin in te snellen zodra hij een belangwekkend insect ziet fladderen of hoort zoemen.

Op die foto uit 1887 zie je het knopje aan de lade als je vóór het tafeltje staat en niet wanneer je erachter zit. Precies zoals het in zijn *cabinet de travail* is opgesteld. Fabre moest dus opstaan en omlopen wanneer hij iets uit die schuifla wilde pakken, wat mij ongemakkelijk lijkt. Het is ook mogelijk dat hij, hoe klein zijn werkblad ook was, dat laatje helemaal niet gebruikte en er principieel niets in wegborg. Dit om zichzelf geen kans op

reggen noch schrijven dat het resultaat meer
is dan de som der afzonderlijke delen.

maart

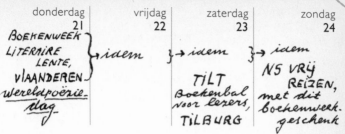

BOEKENWEEK
LITERAIRE
LENTE,
VLAANDEREN } idem } → idem } → idem
wereldpoëzie-
dag.

TILT N5 VRIJ
Boekenbal REIZEN,
voor lezers, met dit
TILBURG boekenweek-
geschenk

afdwalen te bieden, de opperste concentratie te bewaren en 5
slechts met behulp van een kroontjespen, de inktpot, het schoolschrift en zijn loep deze ontzagwekkende *Souvenirs entomologiques* te schrijven en te illustreren, met onwaarschijnlijk
gedetailleerde pentekeningen ('*zesmaal de ware grootte*') van
honderden insecten, van microscopisch klein tot griezelig groot.

In het hoofdstuk '*Souvenirs mathématiques*' brengt hij een ode
aan zijn minimalistische bureautje, getiteld '*Ma petite table*':

*Je zoudt mij niet meer herkennen, dierbare vriend, indien je nu
een blik op mijn grijze manen kon werpen.
Waar is die vrolijke, geestdriftige en van hoop vervulde kerel
van vroeger gebleven? Wat een oude zak is hij geworden!
En wat ben jij op jouw beurt vervallen tot een gammele ruïne,
sinds de dag waarop ik je van de meubelmaker aftroggelde!
Toen glom je van de bijenwas en nu tel je evenveel droge
rimpels en doffe groeven als je meester en alles wat hij schrijft.
Dat zie ik maar al te goed, want in mijn ongeduld gebeurde het
maar al te vaak dat ik jou een krasje met mijn pen moest geven
omdat de ijzeren punt hiervan, uit de drabbige inktpot
komende, anders een onleesbaar schrift zou opleveren.
Wat moet er van jou worden als ik er niet meer zijn zal?
Zul je voor twintig stuivers aan de hoogste bieder worden
verkocht omdat mijn nakomelingen zich nog amper om mijn
geschriften en verzamelingen zullen bekommeren?
Eindig je dan als bokje voor de wijnkruik, ergens in een hoek
naast een gootsteen? Of zul je ten leste dienen als een
aanrechtplank waar men de kool op snijdt? Wellicht word je
nog ooit gebruikt bij wijze van nachttafeltje voor de pispot en
een kom kruidenthee, totdat je, totaal vervallen, afgeleefd,
kreupel en met gebroken poten, in mootjes wordt gehakt om*

week 13	maandag	dinsdag	woensdag
	25 *Paul Biegel Dag*	26	27 *Shortlist Dioraphte Jongerenlite- ratuur prijs*
	LITERAIRE LENTE, VLAANDEREN → *idem*		} → *idem*
	nominaties Luisterboek award		*Sterfdag W. F. Hermans, 1995*

6   *het vuur mee aan te maken onder een stoofpan vol aardappels.*
En je zult in rook opgaan en die rook zal zich vermengen
met de rook waarin mijn werk zal verzwinden; de grote wolk
der vergetelheid, het uiteindelijke overblijfsel van al onze
ijdele inspanningen.

Ik las dit fragment van Fabre als een aansporende waarschu-
wing (memento mori!) en besloot mijzelf na thuiskomst weer
eens hardhandig aan te pakken.

Ik ging mijn op twee adressen huizende drie bureaus schoon-
vegen en de verzamelde inhoud van hun veertien laden ongezien
wegkieperen.

Haalde ik daar ooit iets uit? Ik propte er uitsluitend steeds
meer in. Dingen *voor zolang te bewaren*, die ik daarna dan weer
kwijt was, maar vervolgens nooit echt miste.

Ik moest afstappen van het hooghartige waanidee dat ik nog
alle tijd had.

Dat Fabre in 1915 de eenennegentig haalde, wilde immers
niet zeggen dat ik in 2051 mijn honderdentiende verjaardag
zou kunnen vieren.

Dat hoor je vanuit hun doodsangst steeds meer mensen roepen: *'Ik ben van plan honderdentien te gaan worden!'*

Onze onsterfelijke Gerrit Komrij zei dit als eerste, in 2009, toen
hij vijfenzestig werd: *'Ik ga voor de honderdentien! Dat is nog
binnen de grenzen van het mogelijke.'*

Heden ten dage is honderdentien immers het oude negentig
en negentig is het voormalige zeventig en vijftig het vroegere
dertig, enzoterug, enzovoort. En honderddertig is het oude
honderdtien, op vrijwel alle weggedeelten.

Honderdentien worden. Wij weten best dat deze wens al te
overmoedig is, maar door in gezelschap of tijdens een per-

zeggen noch schrijven dat de overledenen
op wolken zitten en tevreden
op ons neerzien.

maart

donderdag	vrijdag	zaterdag	zondag
28	29	30	31

bedlezen

LITERAIRE LENTE, VLAANDEREN } → *idem* → *idem*

soonlijk vraaggesprek zo'n hartekreet te slaken, hopen we het recht te verwerven dan toch ten minste de negentig te halen. Ons voornemen gehoord hebbende, zal het voor de gelegenheid aangeroepen opperwezen toch zeker niet zo hardvochtig zijn de stekker er al uit te trekken wanneer wij nog maar een- of twee-enzeventig zijn? Akkoord, maar dan was daar nog altijd die eeuwige tram waar ik morgen onder kon komen, als ik mijn verzekeringsadviseur moest geloven; alhoewel er in Nederland de laatste tien jaar niemand op deze wijze is overleden. Googelt u maar.

Toch nam ik mij muurvast voor nu zonder uitstel de hoog-nodige opruimwerkzaamheden te starten.

Eerst mijn boekenwand maar weer eens beklimmen en mij in alle redelijkheid afvragen wat ik voor mijn negentigste nog zou willen lezen of herlezen en waar ik geen tijd meer voor had of geen puf meer in.

Daar zou ik dan morgen mee beginnen, want nu was het Boekenweek en vanavond mocht ik komen voorlezen uit eigen werk in de plaats Helden, maar dan in de bibliotheek van het buurdorp Panningen.

In het inviterende mailtje beloofde de organisatie: 'Wij bieden u een gratis overnachting aan in een prima hotel, alsmede voorafgaande aan uw lezing een smakelijke maaltijd.'

In een Nederlands hotel, zoals mijn vader ze bezocht in de lichtgetinte jaren vijftig en zestig van de vorige eeuw, huurde je een kamer per vierentwintig uur ('Onze kamerprijzen gelden per etmaal').

U kon dus om twaalf uur 's middags arriveren, ter plaatse doen wat u te doen had, in uw hotel eten, slapen en uitslapen, desnoods lekker tot halftien blijven liggen, in bad gaan, uitge-

7

week 14	maandag	dinsdag	woensdag
m 1 8 15 22 29	1	2	3
d 2 9 16 23 30			
w 3 10 17 24	*heel april*	*Internatio-*	
d 4 11 18 25	*is Maand*	*nal*	*vrij*
v 5 12 19 26	*van de*	*Children's*	*denken*
z 6 13 20 27	*FILOSOFIE*	*Book Day*	
z 7 14 21 28			

8   breid ontbijten, weer even naar bed of voor de tweede maal maar nu samen met het ochtendblad badderen, en als u zich dan rond de noen met uw veel te volle koffer aan de lege receptie meldde en met uw vlakke hand op de baliebel om de rekening schelde, kwam de naar hooi geurende dochter van de eigenaar geschrokken aangehold en hijgde zij met haar wijd opengesperde korenbloemblauwe ogen: *'Gaat u ons nú al verlaten, meneer Van Kooten? Maar u heeft de kamer tot één uur, hoor!'*

Deze comfortabele eenheid van etmaal telt niet meer in de moderne hotelwereld.

Het hele begrip vierentwintig uur is verdwenen en opgeknipt in krenterige dagdelen, ongeacht de internationale keten waartoe uw onderkomen behoort.

En weet u hoe het komt dat u pas om 16.00 uur uw gereserveerde kamer kunt betrekken? En waarom u de volgende morgen om uiterlijk 10.15 uur weer dient op te krassen?

Dat komt omdat de twee illegale Congolese kamermeisjes, die bij wijze van arbeidsloon het door drie à vier meelevende gasten op het nachtkastje achtergelaten kleingeld mogen opstrijken, deze zesendertig kamers elke dag opnieuw met hun beidjes aan kant moeten maken en zij dit heidense karwei echt niet sneller dan in vijfenhalf uur kunnen klaren.

En dan moeten deze desondanks goedlachse slavinnen, voordat zij weer vertrekken, ook nog de drie kubieke meter grote afwasmachine leeghalen, waarin al het gereinigde serviesgoed, bestek en glaswerk van de vorige avond dag in dag uit circa tien uur achter de gesloten gebleven klep op dit uitruimen heeft liggen wachten, wat ten gevolge heeft dat uw wijnglas een bittere putlucht wasemt; een brakke geur waartegen het bouquet van zelfs de allervolste bourgogne het onderspit delft, en aangezien ik er verstand van heb omdat ik thuis en buitens-

donderdag 4	vrijdag 5	zaterdag 6	zondag 7
goed nadenken	*goed onthouden*	Geen Daden Maar Woorden Festival, AMSTERDAM	*eetlezen (Remco Campert)*
Nerfdag Rudy Kousbroek 2010			

huis per jaar plusminus 365 flessen wijn drink, heb ik altijd mijn eigen Duralex-glas bij mij, waar ik in negen van de tien gevallen dan ook opgelucht naar grijp. Maar ik dwaal af.

Helden en Panningen liggen allebei in de Peel, behaaglijk dicht tegen elkaar aan. Ik bel dan eerst met de lokale boekhandelaar, om te vragen of deze wellicht geïnteresseerd is in het plaatsen van een flinke tafel, achter in de zaal of in de hal van het theater. Daar kan dan een dwarsdoorsnede van mijn ouevre op worden uitgestald.

Voor de zoveelste keer opzoeken hoe je ueovre ook alweer schrijft. Niet met de onbetrouwbare spellingcontroleur maar gezellig in de papieren van Dale.

Juist: œuvre. Nu voor altijd onthouden. En zet u dan die tafel met mijn eouvre niet op de tocht alstublieft, aangezien ik meteen na afloop van mijn voordracht bezweet achter mijn boeken ga zitten, om ieder aangeschaft exemplaar desgewenst van een heilzame opdracht en een handtekening te voorzien.

In Hotel Antiek te Helden, dat in geen enkel opzicht lijkt op zo'n boven omschreven hotel, bereidde het toeval mij twee aangename verrassingen.

Ten eerste vroeg de vitale en charmante eigenaresse bij het inboeken of ik wellicht familie was van die aardige mijnheer Van Kooten, uit 's-Gravenhage. Ik moest namelijk weten dat die bebrilde heer met dat schitterende grijze haar hier in de jaren zestig steevast een nachtje logeerde wanneer hij zijn rayon Zuid- en Midden-Brabant afwerkte.

De herbergierster kon mij zelfs vertellen waar mijn vader altijd zat in het restaurantgedeelte. Zij was toen zelf nog maar een meisje en had hem meermalen bediend.

Getroffen nam ik plaats op de aangewezen stoel. Alsof ik vijf

9

zeggen noch schrijven dat een zeker iets daar geen drol kost.

week 15	maandag 8	dinsdag 9	woensdag 10

"De letterkundigen die het kleine aantal denkende mensen die hier en daar op aarde voorkomen, het meest van dienst zijn geweest, zijn de in afzondering levende geletterden, de echte geleerden, die hun kamer niet uit kwamen, die geen disputen hebben gevoerd op de

10   was en bij Sinterklaas op schoot mocht. En ik bekeek wat mijn vader ook gezien moest hebben: de gravure van het dorpsplein in 1912 en rechts aan de wand naast ons beider tafeltje het grote olieverfschilderij van een Brabantse vennenpartij.

De tweede verrassing viel mij zes uur later te beurt.

Wanneer ik na mijn voorleesavond neerplof in de bar van het hotel, raak ik in gesprek met twee hoogbejaarde, ongekunstelde echtparen.

De beide mannen zijn goed geconserveerd als voormalige profwielrenners. Zij dragen exact dezelfde, lichaamseigen bril.

De vlindermodellen van hun echtgenotes verschillen, maar hun haar is eender gekapt en gekleurspoeld. Vanmiddag nog. Het is nu kwart over elf en zij hebben heerlijk gegeten en glunderen gezellig nog wat na.

Alle vier een lekker kopje koffie met een kersenbonbon en dan vlug naar huis en naar bed, want morgenochtend, hoor ik, gaan zij gezamenlijk naar de vroege mis.

De man die het verst bij mij vandaan zit vraagt zich hardop af 'of mijnheer pastoor er nog iets over zal zeggen'.

Zijn metgezel denkt smalend van niet en hun oude trouwe dames halen eendrachtig de schouders op.

Ik lees zwijgend het *Brabants Dagblad*. De langste van de twee mannen knikt naar mij en mijn krant. 'Die hebben d'r natuurlijk ook helegaar niks over,' zegt hij bits, maar de vingers van zijn rechterhand trommelen vrolijk op de stoelleuning.

'Waarover bedoelt u?' vraag ik belangstellend, terwijl ik door mijn krant begin te bladeren, behulpzaam op zoek naar iets waarover het dagblad had moeten berichten, maar dat er blijkbaar niet in staat.

'De kerkrazzia vanzelf!' roept de andere man, met een door-

donderdag	vrijdag	zaterdag	zondag
11	12	13	14

banken van de universiteiten of in de academies halve waarheden hebben verkondigd; en die zijn bijna allemaal vervolgd. Het is zo gesteld met ons ongelukkig mensengeslacht, dat degenen die de platgetreden paden bewandelen bijna altijd stenen werpen naar hen die nieuwe wegen willen wijzen.' (Uit: VOLTAIRE, Filosofisch woordenboek, vertaling J. v. Vermeer - Pantoen)

schietende stem. 'De kerkrazzia van acht october negentien-vierenveertig!'

'De Engelsen lagen al op vijftien kilometer verderop,' legt zijn lange vriend hemelsbreed uit, 'maar nooit niet opgeven natuurlijk die Duitsers, want het blijven moffen.'

'Nou vermoedden wij al zoiets,' neemt de ander het stokje over, 'dus vlak voordat de mof de kerk binnenviel, was ik hem met mijn broers van zestien en zeventien gepiept door het poortje achter de preekstoel.'

'Plus de jongens van Puskens en van Pamelen,' vult zijn kameraad aan. Ik zie nu dat zijn vingers niet van vrolijkheid trommelen, maar uit misnoegen.

'Die vanzelf ook ja! En ik was achttien en de oudste, dus ik zei: "We gaan terug naar ons vader en moeder." Maar toen we thuis waren, dwars door het open veld, toen zegt mijn vader: "Weedegewaddegedoet? Jullie pakken alle drie unne schop en ga ze maar vast helpen, die Duitsers!" Want ze waren grachten en wallen aan het scheppen, voor als de Engelse tanks zouden komen. Dus ons vader zegt: "Ge kunt nou wel dapper met jullie drieën onder het bed gaan liggen, maar als ze zo meteen aan de deur komen, dan pakken zenoetoch!"'

De beide echtparen zwijgen nu met nadruk.

Dit is het toongevende verhaal van hun leven gebleven. De mannen hebben het samen al honderden malen verteld. De eerste jaren hebben hun vrouwen hen hier en daar nog wat aangevuld, maar dat is al een halve eeuw niet meer nodig. Zolang geen van beide krasse vrienden begint te dementeren blijven zij elkander naadloos aflossen, geolied als een zesdaagsekoppel.

'Dat weet je achteraf vanzelf nooit, of de Duitsers jullie gepakt zouden hebben,' bromt de lange man.

We zijn nu op de helft van de Maand van de Filosofie. Heeft u daar al over nagedacht?

Maand van de Filosofie; Dagvan de Jonge Jury; uitslag Dioraphse jongerenliteratuur prijs.

12   Zijn getrommel krijgt nu iets dreigends, maar zijn maat reageert niet en vervolgt energiek zijn liveverslag: 'Als mijn broers en ik acht uur gegraven hebben, zeg ik: "Het is welletjes, ons gaat naar huus." Maar daar kwam dus niks van in. Want wat denk je? Wij worden met een mannetje of honderd van tussen de zestien en de zestig einszweidrei afgemarcheerd.'

'Waarheen dan?' vraag ik verontwaardigd en alsnog bekommerd.

'Naar Braunschweig,' zegt de lange man, nog krachtiger doortrommelend.

'Naar het kámp in Braunschweig,' verbetert de eerste, 'en toen hebben wij daar later nog moeten werken in de Hermann Göring Munitiefabrieken.'

'Pas na zes maanden kwamen ze hier weer thuis,' zegt de trommelaar. 'En dat waren me taferelen! Want niemand wist waar ze hadden gezeten en of ze überhaupt nog leefden.'

'Vierenveertig man van ons hebben het niet gehaald,' rapporteert de dwangarbeider.

'Dood,' preciseert de ander.

'Nou is er tien jaar geleden een boek over gemaakt, over het verzet hier in de streek en over de kerkrazzia,' zegt de eerste man verontwaardigd, 'en ik had die schrijver gesproken en van alles verteld en ik zeg nog tegen hem: die achthonderdzesenvijftig namen worden er toch wel bij gedrukt, hè? Ja, nee: vaneigenst en dat kwam dik voor mekaar.

Maar wat denk je? Dat boek komt uit en geen enkele naam van die achthonderdzesenvijftig staat erbij!'

'Tssss,' doe ik ongelovig. 'Ook de uwe niet?' vraag ik de lange man.

Hij stopt abrupt met trommelen, maar geeft geen antwoord.

'Nee, Teus vanzelf helemaal niet!' roept de ander lachend.

donderdag 18	vrijdag 19	zaterdag 20	zondag 21 *looplezen*

'Want die was gevlucht! Twee dagen voor de kerkrazzia was 'm naar Deurne gevlucht. Want daar zaten ze niet, de Duitsers!'

'Ja, natuurlijk!' blaft Teus. 'Wat zoude gij dan gedaan hebben?'

'Precies hetzelfde!' buldert de ander. 'Maar ik was zo stom geweest om naar de kerk te gaan!'

Nu schateren ze samen, vrijwel in de maat, totdat de oud-krijgsgevangene zich herneemt en ernstig verklaart: 'Dat herdenkingsboek kon ik op de receptie met twintig procent korting kopen van die uitgeverij. Een soort wiedergutmachung, omdat ik er dus niet in voorkwam, dan.'

'En nou gaan we niet weer beginnen over de kogels die zij daar moesten maken en die misschien bij ons terecht zijn gekomen,' zegt zijn vriend, 'maar wat ik wel schandalig vind is dat er in datzelfde boek niet ene regel staat over de jongens die níet voor de Duitsers gewerkt hebben, omdat ze in vierenveertig gevlucht zijn. Met gevaar voor eigen leven. Nee, nog erger: wij moesten bij de presentatie dus de volle prijs betalen als we dat boek wilden hebben!'

'Een koekoek en een sijs zingen niet dezelfde wijs,' besluit zijn kameraad, terwijl hij krakend overeind komt, 'en we moesten de beddenkoets maar eens opzoeken.'

'Guttegutgut,' zuchten hun trouwe partners unisono bij het opstaan.

'Maar bij jullie in het westen was het vijf jaar lang ook geen botertje tot de boom natuurlijk,' veronderstelt de ex-vluchteling op de valreep.

'Dat kunt u wel zeggen,' knik ik heldhaftig. Of zal ik voor de honderdste keer maar weer eens vertellen dat er voor mij in de Hongerwinter welgeteld één boterham per etmaal te eten viel en dat ik die kreeg voor het naar bed gaan en dat mijn moeder haar leven lang als zij maar even de kans kreeg verhaalde hoe

week 17	maandag 22	dinsdag 23	woensdag 24
start van de week van het Luisterboek	*uitslag Luisterboek-award*	WERELD BOEKEN DAG	

14 ik daarom 's ochtends, als ik huilend van de honger wakker was geworden, al na vijf minuten begon te zeuren of ik weer naar bed mocht? Een ander verzetsverhaal heb ik niet.

Al die oorlogsgeschiedenissen interesseren mij trouwens hoegenaamd geen biet. Als het niet zo onwellevend was, had ik eigenlijk ronduit tegen die brave mensen moeten zeggen dat die hele Tweede Wereldoorlog mij gestolen kan worden en of dat onophoudelijke herdenken nou eindelijk eens een keer afgelopen mag zijn.

In plaats hiervan wens ik hun gevieren een goedenacht. Een goedenacht sámen, zeg ik zelfs, iets te populair.

Toch kom ik thuis in verwarring. De mannen van de kerkrazzia hebben een vreemd onbehagen in mij boven gewoeld. Het voelt als schaamte om mijn eertijdse gebrek aan belangstelling en betrokkenheid.

Hoe is mijn eigen vader diezelfde jaren doorgekomen?

Hij heeft mij er niets van verteld en ik heb hem er ook nooit naar gevraagd, maar dat was natuurlijk geen excuus voor mijn onwetendheid.

En als ik mij nú niet in zijn oorlogsverleden verdiepte, wanneer dacht ik dat dan wél te doen? Straks was ik honderdentien maar blind of dement of dood en dan had hij bijvoorbeeld zijn monumentale mobilisatie- en oorlogsalbum compleet voor niets gemaakt. Bij al dat fotograferen, knippen, plakken, schrijven en tekenen heeft hij aan ons gedacht: het nageslacht. Dat kan niet anders.

En dat ik, uit gemakzuchtige en lafpacifistische overwegingen, mijn eigen kinderen en kleinkinderen niet met zijn kolossale boekwerk wil opschepen, ja, hier zelfs liever op een fatsoenlijke manier vanaf zie te raken, betekent dat ik hem het recht op voortleven in zijn eigen familiekring ontzeg.

donderdag 25	vrijdag 26	zaterdag 27	zondag 28

Uitreiking
Gouden
Ganzenveer,
AMSTERDAM

naar filosofen luisteren

Daarom. Nee, daar ging ik eindelijk eens mooi een heel lang 15
weekend voor zitten, ter bestudering, aan mijn overvolle bureau.
Dat opruimen kwam dan maandag wel.

Ik zit hier kleintjes achter het dichtgeslagen album van mijn vader.
Ik heb zijn logboek eindelijk uitputtend bekeken en gelezen
en kom hier nog uitgebreid op terug. Help mij onthouden.
Maar eerst moet ik u bekennen dat ik tussen de losse papieren
achter in deze soldatenbijbel op een totaal onbekende, officiële
brief stuitte waarvan ik, tweeënzeventig jaar na de dagtekening,
alsnog ernstig in de war ben geraakt.

Ik las dit militaire schrijven viermaal over, hopende dat ik een
essentieel punt of een verhelderende komma over het hoofd
had gezien waardoor ik de inhoud verkeerd interpreteerde;
zoals je op een uitvouwbare autokaart almaar niet kunt vinden
waar je moet zijn, tot je na veel heen en terug kantelen onder
het smakkende geluid van de zwiepende ruitenwissers ineens
ontdekt dat de bestemming Panningen precies in de vouw is
gelegen. Maar dat hielp allemaal niet. Er stond toch heus wat
er stond en die twee straffe vragen van kapitein R.A. van Holthoon zouden mij dagenlang bezig en nachtenlang uit de slaap
gaan houden.

    1e op wiens last de vordering is geschied?
    2e waar de bedoelde veldkijker is gebleven?

Ik moet u zeggen dat het vileine toontje van die kapitein mij
meteen al niet beviel.
Gesteld dat mijn vader in het van hem *per omgaande inge-*
wachte bericht op vraag 1 had geantwoord: 'Generaal Winkel-

april • mei

week 18	maandag	dinsdag	woensdag
m 6 13 20 27 d 7 14 21 28 w 1 8 15 22 29 d 2 9 16 23 30 v 3 10 17 24 31 z 4 11 18 25 z 5 12 19 26	**29**	**30**	1 *laatste dag:* *'De bijzondere* *wereld van* *thé tjong khin'* *anton Pieck-* *museum,* *HATTEM*

Hoofd Regelingsbureau

REGIMENT GRENADIERS

~~XXXXXXXXXXX~~

Scheveningen

~~XXXXXXXXXXXXX~~ 1 Augustus 1940

~~XXXXXXXXX~~

~~XXXXXXXXXXXXXXXXXXXXX~~

No. 46

ONDERWERP:

BIJLAGEN:

       Door den Heer J.Treurniet wonende te Berkel en Rodenrijs is een eisch tot schadevergoeding ingediend voor een veldkijker ter waarde van f 9.75 welke door U van genoemden heer gevorderd is geworden.

       In verband hiermede wordt van U per omgaande bericht ingewacht:

1e op wiens last de vordering is geschied?

2e waar de bedoelde veldkijker is gebleven?

       Een enveloppe voor terugzending van Uw antwoord gaat hierbij.

                   De Kapitein
                  Hoofd van het Regelingsbureau
                  Regiment Grenadiers
                  R.A.van Holthoon

AAN
sergeant van Kooten
Vreeswijkstraat 174
den Haag

donderdag 2	vrijdag 3	*de* zaterdag *4 a 5 mei* 4	zondag 5

Lezing
Winnaar
De Gouden
Boekenuil
Gent, VLAANDEREN

man heeft mij zulks indirect bevolen', dan weet en wist ieder   17
schoolkind, ook toen al, hoe hierop het antwoord van de boven-
meester zou luiden.

Van Holthoon zou dan namelijk gevraagd hebben:

'*Als generaal Winkelman zegt: "Sergeant Van Kooten, spring van dat dak daar", doet u dat dan ook?*'

Het toontje van de tweede vraag vond ik nog irritanter:

`Waar de bedoelde veldkijker is gebleven?`

Het ergerlijke zit hem in dat gemeenzame `gebleven`.

Eerst las ik hier een zekere jovialiteit in.

Dienstkameraden onder elkaar; de kapitein geeft zijn sergeant een amicale por in de schouder en vraagt samenzweerderig:

'*Hé sergeantje, waar heb jij dat lekkere kijkertje gelaten?*'

Maar waarom stelt hij die vraag? Hij denkt immers het ant-
woord al te weten: die veldkijker heeft de vorderaar natuurlijk bij zich gehouden en na de capitulatie lekker meegenomen naar moeder de vrouw.

R.A. van Holthoon behandelt C.R. van Kooten als een kind; dat vraag je op hetzelfde kleinerende toontje of het met zijn natgelikte wijsvinger in de suikerpot heeft gezeten.

Wat heeft mijn vader zijn superieur geantwoord? Daar kwam ik geen afschrift van tegen. Misschien heeft hij helemaal niet gereageerd en is onze verderkijker in de doofpot van het Regelingsbureau gestopt.

Of hij is op rapport moeten komen en heeft met de hakken tegen elkaar en met beide pinken op de naad van zijn uniform-
broek strak in de houding voor het bureau van die volgevreten Van Holthoon moeten staan, braaf wachtend tot het Hoofd van het Regelingsbureau Regiment Grenadiers en Jagers het nieuwe

Zeggen noch schrijven dat hogere functionaris

mei

week 19

maandag
6

dinsdag
7

woensdag
8

Winnaar
Libris
Literatuur-
prijs

sterfdag
willem Brak
2008

18 nummer van *De Lach* had uitgebladerd, alvorens deze flapdrol van een kapitein zich verwaardigde op te zien naar zijn bibberende sergeantje.

Ach, was mijn vader na de oorlog maar tandarts geworden in plaats van vertegenwoordiger en had R.A. van Holthoon in 1968 maar ineens last gekregen van een zware wortelkanaalontsteking zodat hij met een tennisballenwang en kapseizend van de pijn ten einde raad moest aanbellen bij de enige tandarts die weekenddienst had – en laat dat nou toevallig zijn voormalige sergeant Van Kooten zijn! De wraak was zoet. (Deze mop stond toevallig in datzelfde nummer van *De Lach*.)

O, ik weet precies hoe besodemieterd mijn vader zich toen moet hebben gevoeld.

Net zo machteloos als ikzelf toen wij, nog lichtelijk verdwaasd terugrijdend van ons bezoek aan het museumpje van Jean-Henri Fabre, op de D976, waar je op sommige stukken maar 50 kilometer mag, onwetend 56 kilometer per uur bleken te hebben gereden.

Dit was geconstateerd door een trio verstopte gendarmes, van wie er twee mijn zoon hadden kunnen zijn en de derde met gemak mijn kleinzoon.

En zij vroegen mij: 'Doet u dat in Holland ook?'

En ik vroeg, met een gebotoxte glimlach van onderdanigheid: 'Wat bedoelt u?'

En de kleinste agent zei: 'Veel te hard rijden?'

Dan rest je geen andere uitweg dan schaakmat door de grond te zakken, want 'non' en 'oui' zijn nu allebei even brutale antwoorden.

Overigens begrijp ik niet waarom hij die brief van Van Holthoon überhaupt heeft bewaard. Dat doe je immers niet wanneer je iets onoorbaars hebt uitgehaald of nadat je in zo'n zaak

donderdag 9	vrijdag 10	zaterdag 11	zondag 12
		Geen Daden Maar Woorden-Festival DEN BOSCH	*boomlezen*
	Herfdag Lucebert, 1994		

aan het kortste eind hebt getrokken? Hij had dat schrijven toch 19
gewoon kunnen weggooien?

Dit prachtige album was voor ons bedoeld, ter herinnering aan zijn inzet en liefde voor het vaderland. Dan laat je daar toch niet een dergelijk bewijs van laakbaar gedrag in achter?

En dan is er nog iets eigenaardigs.

In het album was ik gevorderd tot de pagina's waarin het bombardement op Rotterdam wordt verslagen.

Dit katern opent met een uit de krant geknipte kop: *Moederdag-bloemendag,* 12 Mei 1940.

Mijn vader schrijft:

MOEDERDAG...BLOEMEN WAREN ER GENOEG EN HEEL WAT MOEDERS, DIE ZE GRAAG WILDEN HEBBEN! EN DE ZONEN, DIE ZE GRAAG WILDEN GEVEN, KONDEN DAT NIET. DIE ZATEN IN BUNKERS, IN LOOPGRAVEN, EN VELEN VAN HEN KREGEN JUIST OP DEZEN DAG DEN KOGEL...

Dan sla ik om en stuit ik op een slordig uit een schoolschrift gescheurd maar keurig ingeplakt velletje papier waarop hij gehaast in schuinschrift heeft geschreven:

Rijwiel gevorderd
van

     C. Houtman
     ? straat 128 – Delft
door sergeant van Kooten
     MC-II-RGr.
     Veldleger
waarde plm. f 10.–
(tien gulden)   *Handtekening: Van Kooten*

week 20	maandag	dinsdag	woensdag
	13	14	15

Door het lezen van Sportboek

20 En in zijn schitterende en onverzettelijke kleine blokletters staat hieronder:

M'N EIGEN RIJKSFIETS WERD VERNIELD, MAAR ER WAREN ER GENOEG. DEZE HAALDE IK UIT EEN RIJ GEBOMBARDEERDE HUIZEN, MAAR NETJES TEGEN EEN VORDERINGSBEWIJS!

Argwanend vraag ik mij af wat hij ten eerste heeft gevorderd: die fiets of onze verrekijker?

De brief van het Regelingsbureau is van 1 augustus 1940, maar de precieze datum waarop J. Treurniet zijn kijker zou zijn kwijtgespeeld wordt hier nergens in vermeld.

De vraag blijft dus: heeft mijn vader eerst in Berkel en Rodenrijs die veldkijker gevorderd, vervolgens spijt gekregen dat hij dat zaakje onjuist had afgehandeld en heeft hij een onbepaald tijdje later, als het ware ter vereffening, in Delft die verweesde fiets ingepikt, maar deze vordering wel volgens het protocol afgewerkt?

En waarom heeft hij dit bewijs van goed gedrag zo prominent in zijn eigen album geplakt? Om de latere lezer te overtuigen van zijn militaire onkreukbaarheid?

Of is hij in omgekeerde volgorde te werk gegaan: kreeg hij na die Delftse fiets de smaak te pakken, is hij eenvoudig bezweken voor de pracht van onze verrekijker en heeft hij toen in Berkel en Rodenrijs besloten het maar zo nauw niet meer te nemen?

En nog een ongeloofwaardigheid – bij een betrouwbaar antiquariaat kost onze schitterende kijker vandaag de dag minstens tweehonderd euro. Was hij te dien tijde dan niet meer waard dan die lachwekkende negen gulden vijfenzeventig? Dat lijkt mij net zo onwaarschijnlijk als een bruut optreden van mijn vader. Op de gevorderde fiets was immers niemand gezeten,

donderdag 16	vrijdag 17	zaterdag 18	zondag 19

...iloos afvallen

Das Magazin Festival

laatste dag
tentoonstelling
"Geletterd of Gelderd";
Brill: 330 jaar typografie!
museum Boerhaave, LEIDEN

maar die kijker hing waarschijnlijk om de hals van de tegen-stribbelende J. Treurniet en een dergelijk oneervol gevecht zou hij nooit zijn aangegaan.

Omdat het gezag in Nederland zichzelf nagenoeg heeft uitge-hold, is het hele begrip 'gezagsgetrouw' godsjammerlijk achter-haald.

Mijn vader was het nog, gezagsgetrouw. En van ganser harte. Een rechtschapen, sociaal bewogen Hollander, actief begaan met al het zwakkere in onze samenkleving. Honderdmaal bloed gegeven, geheelonthouder, esperantist. Pro Deo elke zaterdag een groepje invalide zeeverkenners naar en van hun clubhuis rijden.

Wel was hij van mening dat iemand die zich een flink aantal jaren op en top getrouw aan dat gezag had gehouden, automa-tisch het recht moest krijgen hier zelf deelgenoot van te wor-den.

Hij vond bijvoorbeeld dat een automobilist die pak 'm beet vijfentwintig jaar lang schadevrij en onberispelijk heeft gereden, een duidelijk zichtbaar insigne zou moeten dragen, op grond waarvan hij medeweggebruikers die verkeersovertredingen begaan mag klemrijden en tot de orde roepen. Diep vanbin-nen ben ik het hier voor honderddertig procent mee eens.

Maar al met al – terwijl ik het laatste kwartaal van 2012 had zullen besteden aan het schrijven van het Boekenweekgeschenk voor 2013, was ik nog uitsluitend op zoek naar een afdoend antwoord op deze ene verontrustende vraag: welk treffen heeft er vlak voor of tijdens het eerste jaar van de Tweede Wereldoorlog te Berkel en Rodenrijs plaatsgegrepen tussen de heer J. Treurniet en de sergeant die een jaar later mijn vader zou worden? Be-stonden er behalve die brief van het Regelingsbureau nog an-

zeggen noch schrijven dat Eskimo's wel honderd woorden voor sneeuw hebben

mei

week 21	maandag	dinsdag	woensdag
	20	**21**	**22**
		Sterfdag Annie M. G Schmidt, 1995	*Sterfdag Herman de Coninck, 199*

22 dere gegevens over deze ergerlijke tweespalt? En hoe kwam ik dit te weten?

Ik besloot mij allereerst te wenden tot het Nederlands Instituut voor Oorlogsdocumentatie in Amsterdam.

De onnozelheid van het incident in aanmerking genomen, was deze stap even disproportioneel als afreizen naar Den Haag, om de sterrenwichelaars van het Omniversum te vragen alsnog mijn vaders horoscoop te trekken (09/09/1909), maar fris gewaagd is half gewonnen.

In het NIOD word ik hartelijk ontvangen en begripvol te woord gestaan door de heer Gertjan Dikken, Informatie- en Collectiespecialist van de afdeling Acquisitie.

Ik heb het album van mijn vader meegenomen. De heer Dikken is hier bijzonder van gecharmeerd.

'Schitterend!' verzucht hij. 'Kijk, daar zoeken wij nu naar! Van deze persoonlijke verslagen en getuigenissen. Prachtig, prachtig, werkelijk waar!'

Ik trots. Overweeg het boekwerk ter plekke aan het NIOD te schenken. Dat ruimt lekker op. Maar ik houd mij in, want ik weet nog niet zeker of mijn vader dit wel wil.

Ook de brief van kapitein R.A. van Holthoon wekt de belangstelling van de heer Dikken. Hij begrijpt mijn onbehaaglijke gevoelens, maakt een kopietje en belooft dat hij nadere informatie over het verloop van deze *petite histoire de guerre* zal trachten te achterhalen.

Ik wikkel het geteisterde oorlogsalbum zorgzaam terug in de schone theedoek van thuis, vlij het in mijn koffertje en voel mij, fietsend over de Herengracht, een halve detective. Zo niet dr. L. de Jong, dan toch minstens Peter R. de Vries. Ja, ik ben De Cock met C-o-c-k en ik heb een Zaak!

donderdag	vrijdag	zaterdag	zondag
150 jaar 23	FESTIVAL	25	26
Louis Couperus symposium	De Geest Moet	24	
'De taal van Couperus';	waaien,	→ idem → → idem	
DEN HAAG	ARNHEM		(Go Johnny go!)

Van opruimen komt dus nog even niets. Dat blijft beperkt tot   23
het maken van wankelende boekentorens die ik af en toe ver-
schuif of halveer, wanneer de stofzuiger erlangs of ertussendoor
moet, in het gekmakende besef dat de inhoud van dit alles op
één iPad zou passen.

Jawel, de *inhoud* van dertigduizend e-books.

Maar ik ben nu eenmaal te gehecht aan de *uithoud*; aan al
hun vertrouwde en zo geduldige ruggetjes.

Wanneer je voor het eerst mee naar huis mocht met een
schoolvriend, wierp je aldaar een snelle, nerveuze blik in de
boekenkast van zijn ouders, om in het geniep te schatten *wat
voor mensen het waren*.

Vaak overlapte zo'n vreemde boekenkast grotendeels die van
thuis en dat was geruststellend; de moeder van Marianne had
net als de jouwe dus *Rubber* van M.H.Székely-Lulofs gelezen
en de vader van Peter hield van *Gods geuzen* van Jan de Hartog,
precies als je eigen vader.

Tien jaar later, toen je voormalige klasgenoten op kamers
woonden, maakte één blik op hun boekenplank je duidelijk hoe
hun literaire interesse zich in de tussentijd had ontwikkeld.

Altijd wel gedacht van Marianne: driekwart historische romans.

En Peter: nooit vermoed dat die brave jongen uitsluitend ge-
welddadige thrillers las!

Met het binnens- en buitenshuis verdwijnen van papieren
boeken worden mensen, letterlijk, minder duidelijk. Iemand
die zijn of haar literaire smaak niet langer zichtbaar etaleert is
minder snel te duiden.

Nou en? Wat dat niet allemaal scheelt in bagagegewicht wanneer wij op vakantie gaan en lekker veel te lezen willen meenemen!

Ik begrijp werkelijk niet waarom iemand boeken meezeult

Ik irriteer u maar weet niet waarom en dit ergert mij.

Landelijke finale 'Read 2 Me', UTRECHT

Finale Nationale Voorleeswedstrijd UTRECHT

24 op zijn vakantie. Wanneer is die gekte begonnen? Je ging op vakantie om zestien uur per dag te genieten van en te kijken en te luisteren naar andere mensen, unieke bezienswaardigheden, specifieke streekgerechten, exotische muziek, plaatselijk natuur- en stedenschoon en dit allemaal in een jou tot dan toe onbekende omgeving. Al was het Apeldoorn. De enige boeken die je eventueel meenam waren een informatieve Baedeker, een reisgids van de heren Dominicus of Van Egeraat en *Wat en Hoe in het Deens.*

Wie op zijn vakantieadres andere boeken dan lokale of regionale uitgaven gaat zitten lezen, beledigt niet alleen de cultuur van de gekozen bestemming, maar vermorst bovendien zijn kostbare vakantietijd.

U heeft betaald voor uw reis en verblijf en nu gaat u die dure uren besteden aan een bezigheid die u, geheel kosteloos, ook thuis had kunnen bedrijven! Als u werkelijk zo'n gretige lezer bent, ga dan niet weg, schakel de televisie en uw iPhone uit en lees alle boeken die u van plan was in te pakken. Wanneer u simpelweg thuisblijft, hoeft u straks ook niet te mopperen dat de overdosis boeken die u naar uw vakantieadres had meegesjouwd ook dit jaar weer ongelezen is gebleven.

En dan nog iets. Als de e-reader of de tablet ooit definitief het papieren boek vervangt, waardoor op langere termijn de boekenkast uitsterft, resulteert dit in een onherstelbaar gemis aan zichtbaar vergelijkingsmateriaal op basis waarvan wij tot een goed gesprek kunnen komen.

Op visite in zo'n ongestoffeerd huis kun je moeilijk aan de gastheer vragen of u even op zijn iPad mag kijken wat hij de laatste tijd zoal gelezen heeft.

En nooit meer die opwindende constatering dat een leuk mens tegenover u in de trein hetzelfde boek openslaat als

donderdag	vrijdag	juni is de zaterdag	laatste dag zondag
30 Avond van het Spannende Boek; de Gouden Strop en Schaduwprijs, AMSTERDAM	31	Maand van het Spannen -1 de Boek. Doe Maar Dicht Maar-festival GRONINGEN Stripbazaar, BEVERWIJK 150 jaar Couperus, RHEDEN	russische avantgarde boekillustraties, meermanno, DEN HAAG De jeugd van Couperus; Louis Couperus → idem museum, DEN HAAG

waar u thuis in bezig bent, zodat u na een beleefd kuchje kunt 25
opmerken dat het de eerste vijftig bladzijden even doorbijten
is, maar wacht maar tot Siem Sigerius via zijn laptop op een
pornosite zijn dochter Joni denkt te herkennen, want daarna
kunt u dat meesterwerk niet meer wegleggen.

Tot hoeveel zinderende relaties hebben zulke vluchtige
lezerscontacten al niet geleid! Wat is het toch een verarming
dat je aan een reisgenoot die op een tablet in zijn schoot de
krant zit te lezen niet meer direct kunt zien wat voor vlees je in
de kuip hebt, zodat je de kans loopt nietsvermoedend plaats
te nemen naast een man of vrouw die geabonneerd blijkt op
het verkeerde ochtendblad.

Derhalve pleit ik ervoor dat er tablets of e-readers met twee-
zijdig scherm komen, waarop je aan de onder- of achterkant
de cover kunt zien van het boek waar de tegenoverzittende lezer
aan de voorzijde in bezig is.

Neem nu de adembenemende *Souvenirs entomologiques* van
Jean-Henri Fabre. De inhoud van mijn twee delen is ronduit
spectaculair, maar de uithoud is heel bescheiden: fraai ver-
zorgd, maar niets bijzonders.

Toch vouw ik mijn boek om de tien minuten eventjes dicht,
waarbij ik mijn vinger tussen de bladzijden houd om zo meteen zonder zoeken door te kunnen lezen; maar niet alvorens
ik voor de twintigste keer de voor- en achterzijde van het omslag heb bewonderd en liefkozend over de met titel en schrij-
versnaam bedrukte rug heb geaaid.

Er heeft ook een periode bestaan, zo rond 1964, waarin sommige stellen samen lazen, tegelijk, hetzelfde boek. Dat was
een zekere vorm van flowerpower. Op onze buiken liggend,
naast elkaar op bed of op het Indiase vloerkleed. En wanneer

week 23			maandag	dinsdag	woensdag
m	3	10 17 24	**3**	**4**	**5**
d	4	11 18 25			
w	5	12 19 26			
d	6	13 20 27			
v	7	14 21 28			
z	1	8 15 22 29			
z	2	9 16 23 30			

de eerste hele week van de

26 de een dan zijn duim en wijsvinger naar de rechteronderhoek van de pagina bewoog, klaar om om te slaan, hoefde de ander, die een stukje achterlag omdat een bepaalde zin zo prachtig was dat hij wel twee keer gelezen moest worden, alleen maar waarschuwend *nog even nog wachten nog* te fluisteren.

Dichter bij elkaar kon je niet geraken.

Ja, dat kon wel, maar dan moest je het geheime Dubbelspel durven spelen.

U kent het Dubbelspel?

Ik doel hiermee niet op de klassieke roman van Frank Martinus Arion, maar op de verstilde paardans tussen jongeman en meisje, de geheime symbiose tussen prilverliefden. Ik vrees dat zelfs mijn lieve, vrijdenkende ouders hier het etiket *schunnig* op zouden hebben geplakt, terwijl dit toch de zuiverste vorm van fysiek contact was: een tot elkaar komen waar geen gekledder aan te pas kwam.

Voor de historische volledigheid geef ik hier nog even de spelregels voor twee personen van beiderlei kunne – zoals deze golden toen onze samenleving nog niet gepornoficeerd was en er nog geen dikke mensen bestonden.

Om het Dubbelspel te kunnen spelen zijn en waren nodig: 1 goedkope hotelkamer voor vierentwintig uur, met een manshoge spiegel die is bevestigd aan de binnenzijde van de half opengeknarste deur van een plusminus honderd jaar oude kledingkast van kromgetrokken eikenhout; 1 slanke, behoorlijk opgewonden jongeman, van de beste bedoelingen bezield; 1 slanke, nieuwsgierige stewardess, caissière, studente, kleuterjuffrouw of tandartsassistente met gevoel voor humor; en ten slotte 1 verstijfd, verwachtingsvol kloppend, maar stevig in toom gehouden mannelijk lid.

Zorg ervoor dat de stewardess, caissière, studente, kleuterjuf

*u van het
(ont)spannende Boek*

*150 jaar
Louis Couperus:
expositie Nippon -
Couperus en Japan;
Sieboldhuis,*
LEIDEN

of tandartsassistente ongeveer vier jaar jonger en een half hoofd   27
kleiner is dan uzelf; want u was die opgewonden jongeman.

Het jaartal dient 1968 te zijn en de stad Parijs, waar de strijd-
kreet *'Les jeunes font l'amour, les vieux font des gestes obscènes'*
rondgonst. Ga nu als volgt te werk.

Kleed elkander net zo lang uit tot u beiden spiernaakt bent.

Draai het stoute maar lieve vriendinnetje nu met haar voorzijde naar de spiegel. Ga achter haar staan, blijf haar in deze
spiegel liefdevol aankijken en maskeer haar borsten met uw
beide handen, die u tevoren heeft gewassen. Duw nu voorzichtig, met de linker- of rechtervoet (geen sokken!) haar lange benen circa dertig centimeter uit elkander.

Steek het klaarstaande lid nu zo ver en zo hoog mogelijk
door de vrijgekomen ruimte onder haar blozende billen naar
voren, tot u in de spiegel ziet hoe de eikel hiervan uitgelaten
opduikt tussen haar kortgekrulde schaamhaar.

Zij zal dit eveneens zien, in de spiegel.

Geniet getweeën, zachtjes wiegend, onbeperkt van de aldus
geboden, zinsbegoochelende aanblik, terwijl u beiden, vage-
lijk beschaamd maar rillend van heerlijkheid, hardop blijft
ademen. Tevoren heeft u erop toegezien dat de dichtgeschoven
vitrage voor het openstaande raam zo'n halve meter uw kamer
binnenwappert en dat het Parijse verkeer, feestelijk toeterend,
instemmend blijft grommen.

Laat de tandartsassistente, caissière, studente, kleuterjuf of
stewardess op haar gemak en zolang zij maar wil gefascineerd
haar tijdelijk getransformeerde geslacht bewonderen en zichzelf,
in de spiegel, best een aantrekkelijke adonis vinden.

Niet storen. Nog even nog wachten nog.

Eenmaal terug in Holland keurig samen trouwen, haar nooit
meer loslaten en elkander regelmatig stukjes voorlezen.

juni

*Zeggen noch schrijven dat het wa
door het verkeer*

week 24

maandag 10	dinsdag 11	woensdag 12
Bekendmaking Zilveren Griffels; genomineerden Gouden Lijst 2013	Poetry International Festival, ROTTERDAM	idem — 150 jaar Const. arend van Dan. eerst voor in het kinderboekenmuseum DEN HAAG

28   Ik ben nu twee jaar ouder dan mijn vader is geworden. Toch
gedraag ik mij nog altijd als zijn gehoorzame, respectvolle zoon.
Dit kost mij geen enkele moeite.

In alle scenario's die ik fantaseer rond het voorval dat zich in
Berkel en Rodenrijs moet hebben afgespeeld gaat hij vrijuit;
het zijn stuk voor stuk synopsissen waarin hij volledig wordt ge-
rehabiliteerd.

Misbruik maken van de omstandigheden en van je uniform
teneinde een brave burger zijn veldkijker af te nemen? En na
de capitulatie die kijker in koelen bloede aan het eigen huis-
raad toevoegen? Dat zou betekenen dat ik van kindsbeen af
met een stuk oorlogsbuit heb gespeeld!

Zoiets kan hij niet gedaan hebben. Bestaat niet, uitgesloten.

Waarschijnlijk zou het ongeveer als volgt gebeurd hebben
moeten kunnen zijn:

*Het was negentienhonderdveertig en Jaap Treurniet was net twaalf
geworden en compleet in de bonen. Sinds die nieuwe mevrouw hier
was komen wonen begon Jaap steeds magerder te soppen, zoals
men dat in Berkel noemde. Hij lustte helemaal niks meer, maar
dat kon hem geen koeienvla verschelen. Nee, dat gaf hem werkelijk
geen drol. Voor zijn part konden ze allemaal de moord steken, in
Berkel zo goed als in Rodenrijs. Behalve die leuke nieuwe mevrouw,
vanzelvers.*

*En zijn moeder. Maar ze moest nou eens een keer ophouden met
telkens hetzelfde te zeggen. Vooral op verjaardagen als ze het erover
hadden dat hij zo groot werd of dat hij dan of dan nog niet geboren
was omdat hij toen nog in zijn vaders verrekijker zat.*

*Alsof hij niet begreep wat daarmee bedoeld werd, gedverdemme.
Ja, kom op mijn lip zitten, dan kan je uit mijn neus eten!*

En zijn vader, dat was gewoon een jandoedel. Die dacht dat hij

donderdag	vrijdag	zaterdag	zondag
idem ___ 13 →	idem 14 ___ →	idem 15 →	laatste dag 16
		opening tentoonstelling 'Militaire boeken uit het Legermuseum, Museum Meermanno, t/m 15/09/2013 DEN HAAG	Poetry International Festival, ROTTERDAM
	Sterfdag Kees Fens, 2008		

een hoge piet was, als hij met zijn verrekijker langs de Noorder-   29
eindseweg de hemel boven Ockenburg stond af te snuffelen of er
misschien zo'n stomme anderhalfdekker hun kant op kwam ge-
vlogen.

De poeha waarmee die Jan Kalebas dan weer thuiskwam en
voorspelde dat het hem niks zou verbazen als er vandaag of morgen het een of ander in de soep ging lopen en hoe die heiknapper
dan zo van die tevreden klopjes op zijn kijker gaf alsof het een brave
hond was en zij samen vier uur lang met groot succes gejaagd hadden.

Maar goed. Blij dat pa naar zijn werk was, op de mengvoeder-
fabriek. Kon hij tenminste even de kijker bietsen.

Deze schoolvakantie peddelde hij elke ochtend bloednerveus
naar dat moderne, netgebouwde huis aan de rand van Berkel, met
hun verrekijker aan de draagriem om zijn hals, onder zijn wind-
jack.

Het was emmes dat hij een nieuwgemoffelde fiets voor zijn verjaardag had gekregen, want nu kon hij doen alsof hij zo gek was
met dat derdehandse karretje dat hij soms wel viermaal per dag
hardop verzuchtte: kom, ik ga weer even een mieters end fietsen.
En al kreeg hij na vijf minuten stevig doortrappen maar één seconde
lang een wazige glimp van haar te zien, dan was zijn geheime ex-
peditie al geslaagd.

Op de horizontale rechterdrager van zijn voorspatbord had
Jaap Treurniet een stevig, dubbelgevouwen stuk karton van een
schoenendoosdeksel bevestigd met een houten wasknijper. Dat
ratelde lekker langs zijn spaken, maar tweehonderd meter voor
haar woning schakelde hij die zogenaamde motor natuurlijk uit,
want stel je voor dat zij hem zou zien of horen. Op vijftig meter
afstand van dat poepiesjieke huis kreeg je dan een schuins
oplopende bezoding, begroeid met zuring, kleefkruid, cichorei,

week 25	maandag	dinsdag	woensdag
☞	17	18	19

Winnaars
Nederlands
Kinderjury
AMSTERDAM

30 paardenbloemen, honderdduizend madeliefjes en handig hoog
spartelgras. Wanneer hij daar met zijn fiets naast zich tegenaan
ging liggen, midden tussen de hooiwagens, de libellen, de knutten
en de langpootmuggen, want hem staken ze toch niet, kon hij net
over de rand recht in haar grote kamer op de begane grond kijken,
omdat die muur helemaal van glas was.

Nog voordat hij haar zag kreeg hij al een berestijve plasser, die
straks onder het hele warme middageten rechtop zou blijven zitten.

Om dit stiekeme koekeloeren niet te link lang te laten duren had
hij met zichzelf afgesproken dat hij het overeind staande voorwiel
van zijn fiets eerst een enorme zwieper gaf, dan zijn vaders kijker
scherp stelde en daarna pas de nieuwe mevrouw mocht bespeu-
ren, totdat het wiel helemaal was uitgedraaid.

Jottem! Ze zat weer te schrijven. Dat deed ze nou elke dag. En ze
rookte een sigaret. Hoehoe, nieuwe mevrouw! Zullen wij samen
lekker gaan neuken? Dan was ik de keizer van China en dan heette
u Mina en dan zei ik kom mee naar de keuken dan gaan we leuk
neuken. Met allebei onze brillen op maar verder piertjenakend.

Even iets anders: toen ik in die brief de bekende maar altijd weer
bevreemdende plaatsnaam Berkel en Rodenrijs las, zag ik on-
willekeurig Annie M.G. Schmidt voor me, die daar ooit een
bungalow heeft laten bouwen.

Vervolgens bedacht ik dat u het misschien wel leuk zou vinden om een klein spelletje fictie mee te spelen.

Wanneer u immers heeft gelezen dat die verzonnen Jaap
Treurniet een zojuist opgetrokken bungalow in Berkel en Rodenrijs beloert en daar een sigarettenrokende vrouw ziet zitten
typen zoudt u, naar ik hoop, kunnen denken: *Haar naam staat
er niet bij, maar daar wordt waarschijnlijk Annie M.G. Schmidt
mee bedoeld.*

donderdag 20	vrijdag 21	zaterdag 22	zondag 23

"Bleu, saignant, bien cuit, à point",
ANTWERPEN

waterkantlezen

Onze Nederlandse reservekoningin woonde immers niet alleen in Frankrijk, maar ook een groot deel van het jaar in Berkel en Rodenrijs. En die Jaap Treurniet (wat overigens een naam uit de pennenkoker van Annie M.G. had kunnen zijn) heeft geen idee wie daar met gespreide vingers haar rijmende lettergrepen zit te tellen (*'toen kochten zij voor werkelijk een fraaie bodemprijs, een kleine kavel grond in Berkel Rodenrijs'*), maar u denkt dit dus wél te weten.

Vandaar uw glimlach.

Helaas is dit onschuldige fabuleren sinds het bestaan van Google en Wikipedia niet langer mogelijk.

Toen wij als lezers bij twijfel en ter verificatie nog uitsluitend onze zestiendelige Winkler Prins-encyclopedie navlooiden, konden wij ons weliswaar vergewissen van het feit dat Annie M.G. Schmidt was geboren in Kapelle en achtereenvolgens woonde in Goes, de Franse Provence, Berkel en Rodenrijs en Amsterdam, maar precieze jaartallen werden hier niet bij vermeld.

Ergo lezer tevreden, schrijver gerust, grap kraait geen haan naar.

Maar nu surfen wij, om te kijken of het klopt wat daar wordt gesuggereerd, langs alle blaadjes van die zo overvol opgetuigde digitale boom der kennis. En dan vertelt Wikipedia ons niet alleen dat Annie M.G. Schmidt en haar minnaar Dick van Duijn, de chemicus, een bungalow lieten bouwen in Berkel en Rodenrijs, maar ook dat zij daar gingen wonen in 1951, zijnde minstens tien jaar later dan wij Jaap Treurniet likkebaardend in die berm hebben doen liggen.

Ergo geschiedenis gelogen, bodem uit grap, schrijver op matje.

De komst van internet heeft de speelruimte voor zulke goedmoedige fictie dus drastisch verkleind.

Tot pakweg 1995 konden schrijvers en documentairemakers

week 26	maandag **24**	dinsdag **25**	woensdag **26**

32   zich verkneukelen in het opvoeren van verzonnen, maar zogenaamd waarachtig geleefd en gepubliceerd, gecomponeerd of geschilderd hebbende kunstenaars en wetenschappers; maar nu alles nagezocht kan worden en de man of de vrouw die ongoogelbaar is eenvoudig niet bestaat of nooit heeft bestaan, is dit amusante pad tussen waarheid en leugen voorgoed afgesloten.

Denk ter illustratie aan *Pale Fire*, de duivelse roman van Vladimir Nabokov uit 1962, waarin hij ons laat kennismaken met de 'geheel vergeten' dichter John Shade en zijn Zuckerman-achtige buurman en criticaster Charles Kinbote: allebei fictieve figuren die zich verliezen in een gedicht van 999 regels dat uit Nabokovs eigen pen kwam.

Waarna Raoul Rémy, destijds de belangrijkste criticus van *Le Figaro Littéraire*, de arrogante blunder beging te schrijven '...*dat Nabokov helaas een van de mindere werken van John Shade ter closereading onder zijn vergrootglas heeft gelegd; Shade heeft immers wel betere gedichten geschreven...*'

Maar nu snel terug naar Jaap Treurniet en naar mijn vader, de sergeant afstandmeter der lichte artillerie, aan het hoofd van zijn peloton Grenadiers en Jagers.

...met allebei onze brillen op maar verder piertjenakend. Wacht, nu komt ze overeind, heel wild, alsof ze kwaad is, in dezelfde lange pijnwaar van gisteren, met al die draken. Dat noemen de Japanners een kimono maar de keizer van China dus ook. Wacht eens? Wat hoor ik nou toch allemaal? Mannenstemmen? Krijg nou wat!

VOOROP LOOPT DE KAPITEIN, KI-KA-KAPITEIN!

Komt dat uit haar radio?

EN DAARNA KOMT DE LUITENANT, LI-LA-LUITENANT!

Marshall - Rulp te denken had aan het feit
erikaanse afgezanten te zijnen huize
seweerde.

juni

donderdag 27	vrijdag 28	zaterdag 29	zondag 30
	Bekendma-king Zilveren Penselen 2013		*drijflezen*

Mozes kriebel, dat komt vandaan de dijk! Soldaten! Daar komt   33
een groep van zeker tien Hollandse soldaten aan en ze zingen alle-
maal tegelijk in de pas!

DE SABEL MOEDIG IN ZIJN HAND, MARCHEERT HIJ VOOR
ONS VADERLAND!

Als hij nu overeind kwam was hij mooi het haasje. Dan willen ze
natuurlijk van hem weten wat of hij hier aan het doen is.

Vliegensvlug draait hij zich op zijn rug, legt de kijker op zijn fiets
en vouwt zijn handen achter om zijn hoofd.

Dan roept een harde mannenstem: 'Peloton! Halt!'

Dat is zeker de generaal.

Zijn plasser is slap van angst geworden en zijn hart bonst zo
hoog in zijn keel dat hij er haast niet meer langs kan slikken.

Wat doet hij nu, die baas van de soldaten?

Hij komt de hoge wegberm op gebeend, buigt zich naar hem voor-
over en vraagt, gelukkig heel vriendelijk: 'Ben jij van je fiets geval-
len, kerel?'

Jaap weet niet waar hij het zo snel vandaan haalt maar hij ant-
woordt: 'Nee, mijnheer, ik studeer de vogels.'

En hij wijst naar de verrekijker, die op de glimmend zwarte ket-
tingkast ligt, eveneens op zijn rug.

De hoge militair tilt de kijker op en bekijkt hem door zijn bril.

'Weet u zeker dat die jongen hier niet ligt te spioneren voor de
moffen, sergeant?' roept een soldaat.

'Misschien is zijn oude heer wel een emmesbejer!' schreeuwt een
ander. 'Daar schijnen er nogal wat van te zitten in deze contreien.'

Het blijft heel lang stil. De sergeant denkt diep na.

Nu kijkt hij beurtelings naar zijn soldaten en naar Jaap en zegt
hij: 'Weet je wat wij doen, knul? Wij zullen die kijker wel zolang
voor jou bewaren, opdat deze niet in verkeerde handen valt. Dan
moet je vader maar even contact met mij opnemen. Hij moet vragen

*Ik heb mijn voet wel eens met e
maar ik heb nog nooit soep ge*

	maandag 2005:	dinsdag	woensdag
week 27	1 *Sterfdag Karel Glastra van Loon*	2	3
week 28	8	9	10
week 29	15	16	17

34 naar sergeant Van Kooten, van de tweede compagnie der Grenadiers en Jagers, op Ockenburg. Kun je dat onthouden, vent?'

Jaap Treurniet doet zijn best zo flink mogelijk te klinken als hij
herhaalt: 'Sergeant Van Kooten van de tweede compagnie der Grenadiers en Jagers, op Ockenburg, mijnheer.'

'Goed zo! Dan komt dit pico bello voor malkander,' knikt de sergeant geruststellend, en terwijl hij de kijker voorzichtig boven zijn
hoofd houdt en weer schuins de ruige berm af stapt, zegt hij nog,
en Jaap hoort dat hij het meent: 'En veel succes met je vogelstudie
verder kerel!'

Nu roept een brutale soldaat: 'Nou kennen wij mooi de boeren-
dochters bestuderen, sergeant!'

Maar de sergeant beveelt: 'Stilte!'

En dan extra hard: 'Peloton! Geeft... acht! Voorwaarts... marsch!'

Boven het suizelen van zijn oren uit hoort hij dan alleen nog
maar het stampen van hun laarzen, in de maat en in de richting
Rodenrijs.

En zijn voorwiel is natuurlijk al vijf minuten helemaal stilgedraaid.

Nou, dat was nog net goed afgelopen!

Ze hadden evenzogoed zijn fijne fiets kunnen meenemen, zoals
buurman Balk op donderdag was overkomen. Vorderen heette dat.

En dat mochten ze doen, want dat was in het belang van het
vaderland. Dat zou hij zeggen, straks tegen zijn vader, en er dan
misschien een beetje bij huilen, dat hij een strenge sergeant was
tegengekomen, die hun kijker had afgevorderd: sergeant Van Kooten
uit Ypenburg, van de tweede harmonie van de Grenadinejagers.

Ik begrijp het wel, wanneer het zo gegaan zou zijn.

Mijn vader heeft zich laten opjutten door zijn soldaten.

Hij nam die kijker niet mee uit veiligheidsoverwegingen of
uit hebzucht, maar puur om zijn manschappen een lol te doen.

donderdag	vrijdag	zaterdag	zondag
4	*Sterfdag* 5 *Gerrit Komrij, 2012*	*Sterfdag* 6 *Jan Blokker, 2010*	*Doratse Boekenmarkt, DORDRECHT* 7
Sterfdag 11 *Rutger Kopland, 2012* 18	12	13	14
	19	20	21

Door hun aanmoedigingen op te volgen dacht hij hun sym- 35
pathie te winnen.

Het omgekeerde was natuurlijk waar. Met zijn zogenaamd
strenge optreden tegen Jaap Treurniet sorteerde hij minach-
ting voor zijn gezag.

Mag ik hem dit kwalijk nemen?

Ikzelf was als dienstplichtig sergeant der infanterie een nog
veel grotere labbekak. Wanneer ik weekenddienst had, bracht
ik mijn soldaat van de week in de voor het overige verlaten
Schoonhovense barak van het Regiment van Heutsz op zondag-
morgen zijn ontbijt op bed.

En het scheelde niet veel of ik was er, louter voor de gezellig-
heid, nog even bij gekropen ook. Beetje voorlezen misschien.
Verwerpelijker kan een militaire meerdere zich natuurlijk niet
gedragen.

Eenentwintig maanden lang, van november 1961 tot en met
augustus 1963, heb ik zelf dus ook soldaatje moeten spelen;
niet live zoals mijn vader, maar zogenaamd *voor het echie.*

Aangezien ik niet daadwerkelijk bij een jongen in bed durfde
te stappen om mij vervolgens door een dienstdoende officier
te laten betrappen, waarna ik, zoals toen gebruikelijk was,
wegens levensgevaarlijke homoseksualiteit zonder pardon zou
zijn afgekeurd en terug naar huis gestuurd, liep ik twee vogel-
vrije gouden jaren mis en veroordeelde ik mijzelf tot 654 inkt-
zwarte bladzijden, gescheurd uit het leven van een doodsbange
twintiger.

Ik moest opkomen in Maastricht en de eerste onafzienbare
maand mochten wij nog niet met verlof. Daarna spande het
erom, elke veertien dagen opnieuw.

	maandag	dinsdag	woensdag
week 30	22	23	24 *Dichters in de Prinsentui* GRONINGEN
week 31	29	30	31
week 32	5	6	7

36   Iedere dienstplichtige rekruut exerceerde, salueerde en poetste zich het apezuur om toch maar heel even terug naar zijn meisje te mogen.

De postduivensport. Vandaar dat de twee hardgekookte eieren, die je op de vrijdagavond voor het kortverlof in je diepe bord gamellenasi kreeg gekwakt, door het kader fijnzinnig *neukpatronen* werden genoemd.

En het mannelijk geslachtsorgaan heette *je huwelijksgeschenk*, op het verlies waarvan je vooral bij het bajonetvechten bedacht moest zijn.

Hier kregen wij een drie weken durende training in; te gruwelijk, stompzinnig en belachelijk voor woorden.

Je moest een soort tango des doods leren dansen. Zet af: geweer! Pak: bajonet! Zet op: bajonet! Uitvallen met rechterbeen: nú! En stap! En steek! Stap terug! En stap! En steek! Stap terug! En halt!

Daarbij dienden wij zo angstaanjagend mogelijk te schreeuwen, want dan zou het de vijand dun door de broek lopen. Woehaaaaa! Woehaaaaa!

Maandagmorgen, halftien en stralend weer. Woehaaaaa! Woehaaaaa!

Aan de andere kant van het hek rond de Tapijnkazerne gloorde de vrijheid en waren op dat tijdstip altijd wat huisvrouwen in wapperende rokken bezig met het ophangen van de was, maar die keken niet op of om, hoe vervaarlijk wij ook bruiden.

Je mocht vooral niet vergeten je bajonet na het steken nog een paar keer extra rond te draaien in de darmen van de vijand. Dan weer terugtrekken en de volgende man aanvallen en weer terugtrekken en op naar nummertje drie, want daar hadden ze niet van terug en dat zou ze leren, die gehersenspoelde communisten.

donderdag	vrijdag	zaterdag	zondag
Zwarte cross, Lichtenvoorde			
Dichters in de Prinsentuin, 25 GRONINGEN	*Dichters in de Prinsentuin,* 26 GRONINGEN	*Zwarte cross,* 27 *Lichtenvoorde*	*Zwarte cross,* 28 *Lichtenvoorde*
1	2	*Het Tuinfeest,* 3 DEVENTER	4
8	9	10	*Deventer Boekenmarkt 2013* 11

De choreografie van deze schijnvertoning was afgestemd op 37 een trio bungelende zandzakken. Dat waren de Russen, maar echt raken mocht je ze niet, want dan zouden ze hopeloos openscheuren. Stootte je uit weerspannigheid toch een keer te ver door, dan was dat een geval van Rekening Man en mogelijk licht arrest en een extra weekend binnen. Daarom oefenden wij uitsluitend '*om de gedachte te bepalen*'.

Vrijwel alles wat je in die basisopleiding te doen kreeg was gebaseerd op slaafse nabootsing en aapachtige simulatie. Ook hoe je je bajonet weer uit het ter aarde gestorte lichaam van je tegenstander moest trekken. De door ons gedode Russen kronkelden, om de gedachte te bepalen, bij bosjes links en rechts op de grond en dan moest je de rechtervoet op hun borst zetten en het geweer Garand met de bajonet erop weer terugtrekken in dezelfde richting als die waaronder je het erin had gejaagd, want dan kwam het dodelijke lemmet er het soepelste uit, en daarna moest je hem diep in het zand steken en weer omhooghalen, want dan gingen het bloed en de ingewanden er het handigste vanaf.

Nooit werd uitgelegd wat er zou gebeuren en hoe je moest reageren wanneer de communistische zandzak onverhoeds de rollen zou omdraaien en ons als eerste te grazen zou nemen.

En wanneer je 's nachts op wacht moest staan, maande de officier van piket de middag tevoren dat je niet mocht flauwvallen wanneer de Prans onverhoeds zou langskomen, met achter in zijn Willy's Jeep drie à vier vriendinnen, die helemaal naakt waren onder alleen een bontjas, die Prans Bernhard zelf voor hen in Afrika was wezen schieten.

Hij was namelijk gek op zulke bliksembezoeken.

Dat was hij als Opperbevelhebber der Nederlandse Strijdkrachten natuurlijk ook verplicht. In dat geval moest je doen

	maandag	dinsdag	woensdag
week 33	12	13	14 *Sterfdag Herman Fran... 2010*
week 34	19	20	21
week 35	26 *Sterfdag Louis Ferron, 2005*	27	28

38   alsof je die geile meiden helemaal niet zag zitten, maar onmiddellijk in de houding springen en roepen: 'Tot uw orders,
Koninklijke Hoogheid!'

Daar waren gevallen van bekend. Die soldaten hadden er ter
plekke een lintje voor gekregen. Die had hij achter in zijn AA-
jeep klaarliggen, een hele kist vol.

Toch waren zulke nachtmerries kinderspel vergeleken bij
de spanning, de angst en de paniek die er heersten op de vrijdagavond en de zaterdagmorgen voorafgaande aan een kort of
lang weekend vrij.

Dat was pas de echte oorlog, waarin het slechtste in sommi-
gen van ons naar boven werd gehaald. Je mocht naar huis,
naar huis!

Dat wil zeggen: wanneer alles klopte *als een zwerende vinger.*

Uniform messcherp geperst, koppelriem stralend geblan-
cood, niet het miniemste witte restje koperpoets zichtbaar
rond het wapen op je baret, het haar minstens zes centimeter
vrij van de boord van je overhemd, je kistjes spiegelend ge-
poetst (met schoensmeer van Kiwi, die verboden was, want
daar droogde het leer van uit, en als wij dan door de Russische
sneeuw ploeterden vroren onze voeten eraf en twee dagen later
kon je ook je huwelijksgeschenk wel aan de wolven voeren),
ondergoed exact op mesbreedte gevouwen en gestapeld en je
hele PSU (Persoonlijke Standaard Uitrusting) in perfecte con-
ditie. Appèl voor de bedden, daarna afmars.

Maar zover was het nog niet. En het was maar helemaal de
vraag of ik straks naar het station van Maastricht kon marcheren en vandaar naar huis in Den Haag zou mogen treinen.

Want ik was mijn militaire zakmes kwijt.

Nu, op dit eigenste moment! Vanmorgen had ik het nog en
over een kwartier kwamen de sergeant van de week en de offi-

donderdag	vrijdag	zaterdag	zondag
15	*Lowlands* 16 *BIDDINGHUIZEN*	*Lowlands* 17 *BIDDINGHUIZEN*	*Lowlands* 18 *BIDDINGHUIZEN*
22	23	*Uitmarkt* 24 *AMSTERDAM*	*idem* 25 *laatste dag van siebedink, L M, DEN HAAG*
29	30	*Manuscripta* 31 *AMSTERDAM Nominaties NS Publieksprijs*	*Manuscripta,* 1 *AMSTERDAM*

cier van piket ons de maat nemen en nu was het weg, mijn zak- 39
mes. Een raadsel, een verschrikking. Mijn dienstmes spoorloos
verdwenen! Als bezetenen wemelden, poetsten, vouwden, strik-
ten, pakten en vloekten mijn mederekruten door de slaapzaal,
terwijl ik als versteend tussen de bedden bleef staan en kok-
halsde van wanhoop.

Wat ik toen deed heb ik niemand ooit verteld, maar in het
kader van de grote opruiming moet het er nu maar eens van
komen.

Dit is wat ik deed: uit de openstaande kast van mijn buurman, rekruut Frans Brinkers – ik hoop dat hij dit leest – griste
ik het mes van de een na bovenste grijsmetalen plank en stak
dit razendsnel in mijn rechterbroekzak.

Vals vrolijk fluitend mengde ik mij met bonkend hart opnieuw in de hypernerveuze bedrijvigheid, om na een halve mi-
nuut razendsnel om te draaien en het mes van Brinkers op de
voorgeschreven plaats in mijn eigen kast te leggen.

Nota bene: dit alles in vredestijd. Kunt u nagaan hoe infaam
ik mij in een oorlogssituatie tegenover mijn maten zou hebben gedragen; tot elke ploertenstreek bereid om, met onge-
schonden huwelijksgeschenk, mijn meisje maar te kunnen
weerzien.

Wel liet ik mijzelf nog snel even beloven dat ik mijn bedrog
op zou biechten wanneer rekruut Brinkers tijdens de inspec-
tie zou worden aangesproken op het ontbreken van zijn zakmes.

Maar dat gebeurde niet!

Niet alleen de inventariserende sergeant had niks in de gaten,
Frans zelf evenmin; anders had hij zich oneindig veel panieke-
riger gedragen.

Eind goed, al goed: op zaterdagochtend 16 december 1961

week 36	maandag	dinsdag	woensdag
m 2 9 16 23 30	2	3	4
d 3 10 17 24			
w 4 11 18 25			
d 5 12 19 26			
v 6 13 20 27			
z 7 14 21 28			
z 1 8 15 22 29			

40 meldde het complete derde peloton van compagnie 2C zich op het exercitieterrein van de Tapijnkazerne voor de afmars. Ik had het gestolen mes op het laatste moment bij mij gestoken, al wist ik niet goed waarom.

Brinkers woonde in Eindhoven en toen hij onze trein had verlaten klapte ik zijn zakmes uit en bekeek dit nog eens goed, omdat het voortaan van mij was.

Op het lemmet, vlak voor de punt, was het staal donkerder van kleur.

Het vertoonde een vrijwel zwart wolkje waar ik, uit heimwee, steeds de kop van onze hond in had gezien.

Krijg nou wat: dit was mijn eigen mes! Hoe kwam dat in Brinkers' kast?!

O ja? Vindt u dat?

Dat maakt mijn handelen toch niet minder schofterig?

Je hebt ook mannen die vreemdgaan met de vrouw van hun vriend nadat die vriend hen in vertrouwen heeft verteld dat hij er zelf ook een vriendin op na houdt. In zo'n geval voelen zij zich minder schuldig wanneer zij hem met zijn eigen vrouw bedriegen.

Maar zo zijn wij niet getrouwd!

Dit alles om de gedachte te bepalen.

Boven aan het omslag van mijn vaders album, waarvan de uitgedroogde rug het voorgoed heeft begeven en er voor spek en bonen bij bungelt, wordt geroepen: '*Mobilisatie!*'

Handgeschreven, in rood ingekleurde, zelf ontworpen letters.

Daaronder: *Augustus 1939*, en dan, op een stripachtige manier: '*Oorlog!*'

Dansende o'tjes, omkranst door scherven, explosies en twee neerstortende vliegtuigen, want hij kon prachtig tekenen.

donderdag	vrijdag	zaterdag	zondag
5	6	7	8

Wereld Alfabetiserings-dag;
Start Week van de Alfabetisering

Daar weer onder, op de zijkant van een vurende tank, staat 41
gekalligrafeerd: *10-15 mei 1940*. Het koperen embleempje van
zijn garderegiment Grenadiers en Jagers, de ontploffende gra-
naat, zit links bovenaan op het harde omslag gelijmd en fraai
gespiegeld prijkt rechts onderaan de kleine, roodkoperen
Nederlandse leeuw; waarschijnlijk een van zijn uniform af-
komstige knoop.

De binnenzijde van het omslag is beplakt met de complete
tekst van 'Wilhelmus van Nassouwe'.

Onderaan de vijftien coupletten staat:

deze uitgave, gezet uit de erasmus en libraletter
van s.g. de roos, werd in 1939 gedrukt bij leiter-nypels
te maastricht.

De rechterbladzijde opent met een kalenderblaadje dat hij uit
zijn zakagenda heeft gescheurd en ingeplakt.

Ik lees:

AUGUSTUS 1939 31 dagen
29 DINSDAG *Mobilisatie!*
Doornstr. 6 Schev.

In zijn onverbeterlijke blokschrift van kleine kapitale letter-
tjes staat er in inkt:

DINSDAGMORGEN, 29 AUGUSTUS 1939
DOOR ANNIE NAAR LIJN 6 GEBRACHT; IK BEN EEN BEETJE UIT
M'N UNIFORM GEGROEID EN VLEKVRIJ IS HET OOK NIET MEER.
DAAR GAAN WE DAN EN WANNEER ZIEN WE ELKAAR TERUG?

week 37 🖎	maandag 9	dinsdag 10	woensdag 11

42

DOORNSTRAAT 6 SCHEVENINGEN
WAT IS DAT PAKKIE WARM EN WAT ZIT DIE KRAAG NAUW.
EN IK BEN NOG WEL 2 HALTES TE VROEG UITGESTAPT!

Dan een ingeplakt etiketje met in stencilblauwe typeletters

```
Sergt. C.R. van Kooten
Mitr. Comp. 2e Bat.
Reg. Grenadiers
Veldleger
VELDPOST
```

DAAR ZIJN WE DAN JONGENS; GEEN ENKELE BEKENDE.
WAT EEN SPANNING, MAAR OOK WAT EEN SOLDATENGEEST
ALWEER! OF JE ER NIET UIT BENT GEWEEST.
(SOLDATENHUMOR: 'ZEG SERGEANT, HEBBIE GEEN "LIJN" VOOR
ME? IK HEB ZOO'N HEKEL AN KOGELS! OF HEBBIE MISSCHIEN
EEN BOODSCHAPPIE NAAR MOKUM?')

Hiermee eindigt bladzijde 1, die ik ongeveer sinds mijn tiende kan dromen, want het album had een vaste ligplek op ons dressoir en dikwijls kon ik van verveling de verleiding niet weerstaan om eerst de beide insignes op het omslag te bevingeren en daarna het pronkboek weer eens open te slaan. Maar nooit van harte.

Mijn tegenzin werd ingegeven door die twee staaltjes 'soldatenhumor' op pagina 1.

Als nakende tiener, toen ik meende dat ik qua gevoel voor humor hemelsbreed van mijn vader verschilde, ergerde ik mij mateloos aan de strofen

IK HEB ZOO'N HEKEL AN KOGELS!

donderdag 12	vrijdag 13	zaterdag 14	zondag 15
	Roald Dahl-dag	*Winnaars Gouden Lijst* *Middag van het Kinderboek*	*laatste dag: Militaire boeken, Meermanno, DEN HAAG*

en

OF HEBBIE MISSCHIEN EEN BOODSCHAPPIE NAAR MOKUM?

Maar nu savoureer ik zijn magnum opus bladzij voor bladzij, regel na regel en foto voor foto. Met de loep.

Dit mag je geen kiekjes meer noemen. Hier is sprake van fraai gekartelde zwart-witfotografieën, formaat 6 bij 9 centimeter, liefdevol geschoten en weloverwogen ingeplakt.

Die lijm heette Gluton en zat in een glazen potje.

En mijn vader gebruikte, ook bij het aanleggen van onze vakantiealbums, altijd een rubberen lijmstrijker.

Ik weet niet of dat eveneens een Gluton-product was, ik geloof het niet, want bij elk potje Gluton zat standaard een kwastje dat na gebruik met schoongewassen haartjes terug in de pot diende te worden geplaatst, waarbij het houten steeltje door een gat in het midden van de rode deksel naar buiten bleef steken.

Daarentegen had de lijmstrijker een buigzaam, lekker dik tongetje van rubber, dat vastzat aan een houten stokje met een diameter die het midden hield tussen lollyhoutje en potlood.

Twee keer is mij overkomen dat deze rubberen tong bij het lijmlikken losliet. Ik had hem na gedane arbeid niet goed afgespoeld, waardoor de gestolde lijm zijn verwoestende werk kon doen, zodat er kleine, droge kloofjes in het rubber waren ontstaan.

Ineens hing toen dat spadevormige tongetje, reddeloos losgescheurd van de steel, tegen de witte Glutonbergwand. Alsof het een zwart-witfoto van een klimmersongeluk was, uit de *Panorama*. Gluton, de naam zei het al. De Glandon, de Granon, de Simplon en de Gluton.

De fotograferende generatie van mijn vader moet zelden een zelfgemaakte foto hebben weggegooid. Daar waren de filmrol-

Laten we doen dat diegene ~~
het meeste bezit de weds~~

44   letjes te duur voor. Om diezelfde reden kom je in familiealbums uit die tijd nauwelijks bewogen, te donkere of overbelichte foto's tegen.

Beroeps- en amateurfotografen gingen ontroerend zorgvuldig en zuinig te werk. Over iedere foto werd nagedacht. En vrijwel alles werd ingeplakt, zelfs de kiekjes die technisch hooguit een vijf verdienden.

Een belabberde foto werd vaak bij monde van het onderschrift goedgepraat.

Mijn vader was hier een meester in. Was de foto te donker, dan schreef hij: *...in Apeldoorn viel soms 's middags al de nacht*, en had hij een doodenkele keer bewogen bij het afdrukken, waardoor ik wazig op mijn fiets zat, dan verklaarde hij: *Kees racete te snel voor het oog van de camera.*

Nu iedereen maar kan fotograferen of het niets kost wordt er belachelijk veel weggegooid; foto's gaan recht uit de camera in de prullenbak.

Wat er overblijft kun je dan nog tot in het oneindige bewerken. Verscherpen, de helderheid opkrikken, kadreren en bijsnijden en vooral: bijkleuren.

Wat dit laatste betreft heb ik nog een vriendelijk verzoekje: mogen grootouders in den vreemde alstublieft *gewone onbewerkte foto's* van hun kleinkinderen krijgen toegezonden, liefst in zwart-wit, maar in elk geval niet vervreemdend gepimpt in zogenaamd nostalgische kleuren? Dit zijn namelijk precies dezelfde tinten waarin de eerste ingekleurde foto's van onze grootouders werden uitgevoerd rond 1914, dus zijn we in de categorie '*mooi bedoeld, maar volslagen onnatuurlijk*' na vijf generaties en in 2013 weer precies even ver van huis. U zit hier verlangend in Canada of Australië en het is allemaal lief en artistiek bedoeld en knap gedaan, dat begrijpt u ook nog wel,

Film by the Sea Publieks- prijs, VLISSINGEN

Zijn de niet te missen uitzendingen van 'Brands met Boeken' al weer terug op de VPRO-Radio en televisie??

maar u heeft die drie kleine schatten in geen twee jaar op
schoot gehad en u wilt weten hoe ze er écht uitzien en op deze
manier maken hun fotoshoppende ouders rare bejaarden van
ze, alsof uw kleinkinderen, die nog geen tien jaar oud zijn, nu
al uit de fifties stammen.   45

Maar nee dus. Geen denken aan. Ik kan dit schitterende
museumstuk onmogelijk weggooien. Dan toch maar aan het
NIOD schenken? Terwijl ergens in Nederland wellicht nog altijd een leeftijdgenoot van mij rondloopt die zijn eigen overleden vader op een van deze foto's herkent en zich maar al te
graag, slikkend van ontroering, over dit document zou ontfer-
men? Een zoon of dochter van een soldaat wiens naam voor-
komt op HET EERSTE APPÈLBRIEFJE, DAT IK MET VEEL MOEITE,
4 UUR NA M'N OPKOMST, IN ELKAAR FLANSTE. HET IS NADIEN NOG
WEL EEN KEER OF DERTIG GEWIJZIGD.

Ik zou die namen kunnen googelen en voorzichtig links en
rechts wat informeren en proberen of ergens nog een belletje
gaat rinkelen en op goed geluk een paar telefoonnummers
draaien.

Draaien ja.

Vroeger, vroeger, nee, nóg veel vroeger, toen de telefoontoe-
stellen nog van bakeliet waren, kon je je vrije hand kalmerend
met de opkrulbare draad van de hoorn laten spelen, maar nu
sta ik er helemaal alleen voor.

*Goedenavond, mevrouw Stampraad. Tja, ik heb een rare
vraag, maar heeft of had u een vader die na zijn militaire
diensttijd bij de Grenadiers en Jagers soms ook nog bij de
Opbouwdienst heeft gewerkt? Van de eerste afdeling, het
tweede korps en het eerste district? Ach, natuurlijk.
Gecondoleerd, mevrouw. Ja, de mijne ook. Die zou nu*

week 39	maandag 23	dinsdag 24	woensdag 25 *Gouden Pens en Gulden Pal*

46

honderdendrie zijn geweest. Wat u zegt, tegenwoordig kan
dat. En de namen Van Swinderen, Uitenbroek, Kleinpenning,
Ettinger, Hillen, Maaskant, Dijkshoorn en De Hilster zeggen
u ook niets? Karnebeek misschien? Nee, H.H. Karnebeek?
Scheggetman dan soms? En Oonk, mevrouw Stampraad?
Van der Salm? Overgaag, Plugge, Roeleveld, Frijters, Mijnten
mogelijkerwijze? Nee? Dienstplichtig soldaat Pape wellicht?
Korporaal Wilschut ook niet? Ach, dat is nou jammer.
Nog één vraag dan, mevrouw Stampraad: als ik kapitein
Van Holthoon zeg, kapitein R.A. van Holthoon, wat zegt u dan?
Dat begrijp ik, ja. Dan wens ik u welterusten, mevrouw.

Zijn hele oorlogsalbum is één lange lofzang op de kameraad-
schap. Omdat ik nogal eenkennig ben kan ik mijzelf moeilijk
in deze geestdriftige fideliteit verplaatsen, maar van mijn vader
begrijp ik het wel.

Altijd alleen als jongen, met een vader op zee, een moeder
die aan het gebak was en een verwende zeurkees van een jonger
broertje.

De tientallen door hem opgesomde, uitgetikte en zelfs ge-
kalligrafeerde namen getuigen van een eindelijk verworven,
opgetogen gevoel van trouw, vriendschap en geborgenheid en
ik mag deze vrolijke camaraderie niet over één kam scheren met
vechtlust of oorlogszucht. Wanneer hij deel zou hebben uitge-
maakt van een ongewapende gemeenschap als een volkstuin-
vereniging of een gehoorzaamheidstrainingsclub voor honden,
zou mijn vader zich binnen die gelederen net zo collegiaal hebben gedragen. Ook van deze medeleden zou hij zo veel mogelijk namen aan de vergetelheid hebben willen ontrukken.

En wanneer er een bonte avond gepland stond, zou hij de
organisatie op zich hebben genomen.

donderdag 26	vrijdag 27	zaterdag 28	zondag 29
	toplijst AKO-Literatuur- prijs	*opening tentoon- stelling "Nederlandse Krijgsgeschie- denis" museum Meermanno DEN HAAG*	*Herfdag Hella Haasse 2011*

Kan ik allemaal in komen.

Maar onnavoelbaar zijn voor mij de krijgshaftige onder-
schriften bij de zestien fraaie foto's die sergeant afstandmeter
Van Kooten op 4 maart 1940 maakte, toen zijn compagnie
voor schietoefeningen op De Harskamp bivakkeerde:

COMPAGNIES-VUUR! 12 STUKKEN ZINGEN EEN MEERSTEMMIG
LIED. KRUITDAMP OVER DE HEIDE! IN VOLLE ACTIE! ZONDER
STORING VLIEGEN DE PIEPERS ERUIT!! ZIEZOO, 6 BANDEN MET
PIEPERS ZIJN ER DOORHEEN GEJAAGD EN NU DE TREFFERS OP-
NEMEN. VOL VERWACHTING KLOPT ONS HART! ONZE TROUWE
SCHWARZLOSE IN STELLING OP DE HARSKAMPER HEIDE. DANK
ZIJ DE BULLDOG-AFFUIT WAS ER EEN FLINK AANTAL TREFFERS!

Toch kon hij geen vlieg kwaad doen. Jagen? Een levend schepsel
doden? Geen denken aan. Maar laat ze maar komen, die rot-
moffen!

Je ziet de laatste jaren vrijwel dagelijks uitzinnige televisie-
beelden van rebellen in Arabische en Afrikaanse staten die, na
een geslaagde veroveringsactie, juichend en toeterend en hun
wapens leegschietend door de straten trekken.

Daarbij raak ik steeds opnieuw in dezelfde ethische spagaat.
Automatisch denk ik bij elk in het wilde weg afgevuurd schot:
gelukkig! Weer een kogel minder op de wereld. Maar omdat
de munitieproductie nooit zal stoppen, is dit een belachelijke
gedachteflard.

Onmiddellijk hierna volgt dan mijn tweede hersenspinsel,
dat even onzinnig is en inhoudt: wat jammer en zonde van die
dure kogel, dat hij nu voor niets is afgeschoten en niets of niemand heeft geraakt!

Enfin. Kogels *piepers* noemen; dat is wellicht de kern van die

47

week 40	maandag	dinsdag	woensdag
m 7 14 21 28	**30**	1 *Kinder-boekenbal; AMSTERDAM Winnaar Gouden Griffel*	2 *Start Kinderboe- week*
d 1 8 15 22 29			
w 2 9 16 23 30			
d 3 10 17 24 31			
v 4 11 18 25			
z 5 12 19 26			
z 6 13 20 27			

oktober is de

48 onuitroeibare oorlogszuchtigheid. En de *Daisy Cutter*, vanzelf-sprekend.

Een cynischer naam voor een alles wegvagende bom is nooit verzonnen. Terwijl madeliefjes volgens mij niet eens voorkwamen, in Vietnam en Afghanistan, dus dat maakt het eufemisme nog tienmaal zo gruwelijk en laatdunkend.

Na de bevrijding is mijn vader zijn hele verdere leven met de Tweede Wereldoorlog bezig gebleven. Dat was zijn goed recht, maar mijn moeder werd er wel eens een beetje gek van. Dit noemde zij vergoelijkend 'ibbel'.

Ik word wel eens ibbel van je vader.

Wij hadden een loodzware, massief koperen asbak die gemaakt was van de onderzijde van een mortiergranaat en ik heb dit sieraad alleen behouden omdat mijn vader er duizenden sigaretten in heeft uitgedrukt; maar misschien nog wel meer omdat mijn moeder, die even gretig rookte, haar leven lang weigerde dit oorlogssouvenir te gebruiken.

En poetsen doe je hem zelf maar.

En toen wij televisie kregen keek hij naar iedere oorlogsfilm en WO II-documentaire, terwijl zijn echtgenote achter de dichtgeschoven schuifdeuren een goed boek zat te lezen. Met haar vingers in haar oren, om al dat vreselijke schieten niet te hoeven horen.

Zij voelde dan ook een intense geestverwantschap met onze zo vredelievende koningin Juliana. Ik heb haar zelden zo kinderlijk gelukkig zien opveren als op die avond in 1987, tijdens het kijken naar het door Maartje van Weegen afgenomen televisie-interview met het vijftig jaar getrouwde echtpaar, toen onze koningin plotseling geërgerd uitviel naar haar oorlogsgeile Bernhard:

...ieren doodschieten en naar huis gaan."
(George Bernard Shaw)

donderdag	vrijdag	zaterdag	zondag
3	4	5	6

Sterfdag Eddy van Vliet, 2002

idem ——→ idem ——→ idem ——→ idem

Geen Daden Maar Woorden Festival

van de Geschiedenis ——————→

ROTTERDAM

'Die oorlog! Altijd maar weer die oorlog! Hou toch eens op over 49
die verschrikkelijke oorlog!'

Alle moeders van mijn vriendjes waren openlijk gecharmeerd
van prins Bernhard, maar die van mij vond hem 'een weerzin-
wekkende kwast'. Haar ware liefde en bewondering gingen uit
naar Juliana.

Veel dames imiteerden onze vorstin in haar kleding, maar
daar was mijn moeder, noodgedwongen, veel te spaarzaam
voor. Het was heel wel doenbaar om erbij te lopen *als net de*
koningin, want al hare rokken, blouses, jumpers, jurken en
twinsets hingen bij C&A.

C&A was immers zo groot geworden omdat de familie Bren-
ninkmeijer voortreffelijk had begrepen dat elke Nederlandse
moeder er na de vervulling van haar huishoudelijke taken het
liefste bij liep als koningin Juliana. En dat je die kleding extra
begeerlijk kon maken door elke prijs van ieder artikel te laten
eindigen op 49 of 99 cents.

Een zomerjurk voor fl 8,99!

Een winterse jongenstrui voor slechts fl 5,49!

In sombere buien weet ik voor negenennegentig procent zeker dat wij er in verstandelijk opzicht geen centimeter op voor-
uit zijn gegaan sinds 1945. Aan bepaalde kinderachtigheden
komt kennelijk nooit meer een einde, want dat psychologisch
onderbouwde reclamefoefje van die negenennegentig cent ken
ik nu al vijfenzestig jaar.

Aangezien € 13,99 voor het publiek namelijk wezenlijk goed-
koper lijkt dan 14 euro, want 2,99 ondergaat de koper in zijn
onderbewustzijn als een stuk voordeliger dan 3 euro, en een man
schaft zich veel eerder een auto aan die slechts € 9.999,99 kost.

En omdat wij ter weerszijden van de kassa tot in het oneindige blijven geloven dat dit nu eenmaal de onveranderlijke

*zeggen noch schrijven dat.
al is het maar*

*Internatio-
nale Dag
van de
Schoolbi-
bliotheek*

Deze gehele week woedt nog

50 waarheid is (*onderzoek heeft dit namelijk uitgewezen*), ben ik bang
bij leven niet meer mee te maken dat de infantiele besparing
van die ene eurocent voorgoed wordt afgeblazen.

Maar doet dat levend villen van die palingen dan geen verschrikkelijke pijn, visboer? Nou, nee hoor, mevrouw, ze wennen
eraan.

Er staat één wazige, want niet door mijn vader zelf genomen
foto in het album, waarop je hem in zijn eentje aan een klein
tafeltje soep ziet zitten lepelen, met een half brood en een veld-
fles naast zijn bord.

Het bijschrift luidt:

'S-NACHTS 3 UUR, 8 MEI 1940.
WACHTCOMMANDANT OP HET VLIEGVELD OCKENBURG, DE
INWENDIGE MENSCH VERSTERKEND. IN DENZELFDE NACHT
WERDEN WIJ DAAR AFGELOST DOOR EEN COMPIE BIGGEN
EN 2 DAGEN LATER LAG DE HEELE BOEL PLAT. WIE HAD DAT
KUNNEN DENKEN!

En zijn album eindigt met de tekst:

4 MEI 1952
12 JAAR LATER...
NA HOOP EN VREES, NA MACHTELOZE WOEDE, NA VELE
VERNEDERINGEN, NA DE HONGERWINTER '44-'45 EN DE
HONGERTOCHTEN, EINDELIJK IN MEI 1945 DE VREUGDE VAN
DE BEVRIJDING. EN 7 JAAR NA DEZE DATUM KWAMEN VELE
GRENADIERS WEER BIJ ELKAAR IN EEN GEZAMENLIJKE
HERDENKING VAN DE GESNEUVELDE KAMERADEN.
VELE JAREN OUDER, DUS DIKKER, TRAGER EN DUNNER VAN

| donderdag 10 | vrijdag 11 | zaterdag 12 | zondag 13 |

achterbank-lezen

Kinderboekenweek ————→ |

HAAR! TOCH LIEPEN WE IN ONS BURGERKLOFFIE KEURIG IN
RIJEN VAN VIER ACHTER DE KONINKLIJKE MILITAIRE KAPEL
DIE 'TURF IN JE RANSEL' SPEELDE EN ONS NET ALS VROEGER
IN DE PAS DWONG.
IEDER JAAR IN MEI HERDENKEN WE OPNIEUW, MAAR IEDER
JAAR WORDT DE GROEP VAN VRIENDEN EN NABESTAANDEN
KLEINER. ZO IS HET LEVEN...HET GAAT DOOR EN HET IS HARD.

Deze herdenking vond jaarlijks plaats op Moederdag.

Dat was makkelijk te onthouden en 's zondags hadden alle
ex-grenadiers en -jagers immers vrij.

Het monument voor hun gesneuvelde kameraden staat op
de Hofweg in 's-Gravenhage. Wij woonden hier vanaf 1952 an-
derhalve kilometer vandaan en daarom leek het mijn vader wel
aardig om, aansluitend bij het officiële gedeelte, een tweede
bijeenkomst te houden, in kleinere kring.

Ook dit samenzijn werd vanaf 1953 een traditie: na een pit-
tige speedmars arriveerden de sergeant en zijn resterende
manschappen op ons nieuwe huisadres, waar mijn moeder
voor de rest van haar als vrijaf bedoelde Moederdag met koffie
en cake heen en weer kon hollen om de luidruchtige grenadiers en jagers te behagen.

En wij gingen met het hele gezin naar de Taptoe Delft, om te
genieten van de paraderende Koninklijke Militaire Kapel en het
raadselachtig exercerende Spookpeloton, wat haar evenmin het
gevoel zal hebben gegeven er eens even helemaal uit te zijn.

Gedurende elke naoorlogse vakantie die ik mij kan herinneren droeg mijn vader twee onafscheidelijke attributen op zijn
borst en buik: zijn Voigtländer fotocamera en de verrekijker.
In het bos, op de hei, in de duinen of aan de waterkant had hij

*Zeggen noch schrijven dat u
maar dat u desondanks nog*

*Uitreiking
van de
NS-publieks-
prijs*

52 een te lange korte kakibroek aan en een dito jasje met handig veel zakken.

Horizontaal op de linkerrevers van dit jasje prijkte, vanaf 7 januari 1948, *het oorlogsherinneringskruis met den gesp "nederland mei 1940"*, tot het dragen waarvan de dpl. sergeant C.R. van Kooten van het wapen der infanterie gemachtigd was, vanwege bijzondere krijgsverrichtingen. Tot afgrijzen van mijn moeder droeg haar echtgenoot dit zogeheten *lintje* werkelijk altijd en overal. Aangezien hij er maar eentje van had, verhuisde de onderscheiding bij het wisselen van zijn colbertjasje mee naar het volgende revers, zodat mijn moeder dagelijks aan al die arme gesneuvelde jongens werd herinnerd.

Aan de Duitse soldaten net zo goed, want die stakkers waren ook maar gestuurd, en in haar strijdvaardige vredelievendheid maakte zij geen onderscheid tussen aanvallers en verdedigers: de onschuldige dienstplichtige slachtoffers van beide partijen waren haar even dierbaar.

Nog jaren later, wanneer zij samen met mijn vader en mij wel eens vijf minuten naar een voetbalwedstrijd op de televisie keek, koos zij beginselvast partij voor het uitspelende elftal, omdat die arme jongens bij een nederlaag ook nog dat hele eind verdrietig in de bus terug naar huis moesten.

Meermaals heb ik haar horen vragen – behoedzaam, om mijn zus en mij niet te betrekken in deze principekwestie – of mijn vader zijn lintje nou niet eens een tijdje lekker in de la van ons dressoir kon laten liggen, onder zijn oorlogsalbum, maar dan antwoordde hij zo'n beetje, met een scheef hoofd en een lang getrokken kin net zo lang pielend tot de onderscheiding mooi horizontaal in de revers van het colbert voor de komende week stak: '*Meikie je moest eens weten hoeveel klanten er naar de achtergrond van dit herinneringskruisje informeren. En dan is er*

donderdag	vrijdag	zaterdag	zondag
17	18	19	20

meteen contact. Nee, dat stomme lintje, zoals jij het noemt, heeft 53
mij al heel wat extra provisie opgeleverd!'

Intussen moet ik eerlijk bekennen dat ik heimelijk pissig ben
dat ik zelf nog altijd geen lintje heb gekregen.

Ik zou die koninklijke onderscheiding natuurlijk onver-
schrokken afslaan en vervolgens iedereen van mijn princi-
piële weigering op de hoogte stellen, maar dit neemt niet weg
dat ik telkenjare rond Koninginnedag namen op de lijst gelau-
werden zie prijken waarvan ik verongelijkt denk: hoho, krijgt
die oliebol ook al een lintje? Dan had ik toch zeker al veel eerder een lintje gekregen moeten hebben?

Maar niks hoor. Wanneer ik straks op honderdachtjarige
leeftijd onder de Amsterdamse NoordZuidlijn kom zal ik nog
altijd niet koninklijk zijn goedgekeurd. Geen idee waar dat
aan ligt. Misschien weet de BVD iets van mij wat ik zelf niet
eens weet.

Of, dat is ook een mogelijkheid: ze zijn er bij het Rijk achter
gekomen dat mijn vader tijdens de mobilisatie een onrecht-
matige vordering ter waarde van fl 9,75 heeft gedaan, waarna
ze hebben besloten dat hij zijn in 1948 verkregen lintje weliswaar mocht houden, maar dat zijn nakomelingen in manne-
lijke lijn nooit meer zouden worden onderscheiden.

Een andere reden kan ik niet bedenken. Of het zou moeten
zijn dat ik heel lang geleden, nog op de zwart-wittelevisie, een
keer heb bekend dat ik regelmatig droom dat ik het bed deel
met koningin Beatrix.

Dat zei ik niet als mijzelf maar als een typetje, met een hoed-
je en een vlinderstrik in een satirisch bedoeld programma, dus
hoe kan de Binnenlandse Veiligheidsdienst zo'n uitspraak in
hemelsnaam serieus nemen? En bovendien vertelde die fic-

zeggen noch schrijven dat u
vrede met deze of g

54 tieve figuur eerlijk dat het initiatief te dezen niet van hem uit-
ging maar van de koningin.

Zij vroeg er altijd zelf om. Mag je haar dan teleurstellen?

En ik zal toch zeker niet de enige Nederlandse onderdaan met dit wensdroombeeld geweest zijn?

Wij zijn toch allemaal gevormd naar de matriarchale wezenstrekken van ons vaderland? Wilhelmina was ons aller rare oma, Juliana was al onze moeders, Beatrix de gedroomde, gezellig beschermende zuster en Irene het begeerlijke maar onbereikbare buurmeisje.

(Overigens blijf ik van mening dat het raadzaam en veel rechtvaardiger is om elke Nederlandse staatsburger bij de geboorte een koninklijke onderscheiding te verlenen, die hem of haar bij strafbaar gedrag in de loop van het verdere leven weer kan worden afgenomen.)

Ik heb *De Aanslag* van Harry Mulisch gelezen, *De donkere kamer van Damokles* van W.F. Hermans, *The Naked and the Dead* van Norman Mailer, *Frank van Wezels roemruchte jaren* van A.M. de Jong, *Catch 22* van Joseph Heller en *Het Achterhuis* van Anne Frank. Dat was het wel zo'n beetje, qua oorlogsellende.

En dan natuurlijk, over de Eerste Wereldoorlog, *De lotgevallen van de brave soldaat Švejk* van Jaroslav Hašek, *Atonement* van Ian McEwan, *Godenslaap* van Erwin Mortier en *Grijze zielen* van Philippe Claudel.

Nee, *Regeneration*, de trilogie van Pat Barker, nog altijd niet. Dat kan ik niet meer aan, de pracht van die verschrikkingen.

En ik heb de film *Stalag 17* gezien, als jongen van veertien. Maar geen enkele zin in *The Bridge on the River Kwai* gevoeld en *The Longest Day* al helemaal niet willen meebekleven. En na mijn diensttijd nooit meer geschoten, zelfs niet op de kermis. Wanneer wij in later jaren met ons gezin naar het zuiden reden,

donderdag 24	vrijdag 25	zaterdag 26	zondag 27

heb ik evenmin een opvoedkundige omweg langs de militaire 55
dodenakkers van Wallonië en Noord-Frankrijk gemaakt, teneinde mijn onschuldige kinderen keihard te confronteren met
de waanzin van de menselijke komedie en hun in te peperen
dat zij dit nooit, nooit meer mogen laten gebeuren.

Waarom staan die hagelwitte kruisen overigens zo weerzin-
wekkend netjes in eindeloze, kaarsrechte rijen? Had dat niet
wat fleuriger gekund? De graven willekeurig als madeliefjes
over het veld van eer verspreid?

Maar dat geeft waarschijnlijk niet het bedoelde schokeffect:
deze tienduizenden jongens mogen dan weliswaar dood zijn,
maar kijk toch eens hoe prachtig zij nog in het gelid liggen!

Wel heb ik tien jaar na de oorlog met vriendjes hele woens-
dagmiddagen rondgeneusd in zogenoemde legerdumps.

Ik ruik ze nog. Zo'n vochtige, mosgroene lucht. Dat was nou
eens een lekkere aftershave geweest. Meestal op het platteland
gelegen, enorme hangars vol onbekende heerlijkheden waren
dat. In mijn geval fietsten wij ervoor naar plaatsen als Noot-
dorp, Bleiswijk, Loosduinen, Delft en Berkel en Rodenrijs.

Dit deden wij niet om soldaatje te spelen, maar omdat wij
onweerstaanbaar werden aangetrokken door volslagen onbekende, onweerstaanbaar begeerlijke artikelen als pioniers-
schoppen, leren legerkistjes, bivakmutsen, koppelriemen,
basketbalschoenen, aluminium mokken, combinatietangen,
waterpassen, veldkijkers, rugbyballen, halve tentjes, haringen
en scheerlijnen, camouflagebroeken, veldflessen en mess-
tins en vooral vechtpetten, softbalknuppels en honkbalhand-
schoenen: allemaal zoveelstehands, maar alles gebruikt door
echte Tommies en Jenkies. Onder zo'n legergroene vechtpet
had een twintigjarig crewcut- oftewel pleeborstelkapsel gezeten en nooit zou je weten welke soldaat er in die gewatteerde

week 44	maandag 28	dinsdag 29	woensdag 30

Winnaar AKO Literatuur- prijs

Herfdag Hend Bernlef, 2012

sterfdag Harry Mul 2010

56 nylon slaapzak met buitenmodel ritssluiting had liggen pitten, maar wie erin kroop was hem heel even zelf.

Drie weken na mijn bezoek aan het NIOD krijg ik een mailtje van de heer Gertjan Dikken:

> *Ten aanzien van de schadevergoeding inzake de veldkijker zoals in uw bezit het volgende: zoals ik al vermoedde tijdens ons gesprek, bevinden dergelijke verzoeken tot schade- vergoeding en/of brieven aan degenen die goederen gevorderd hebben zich meer in militaire hoek.*
> *Ik zou u aanraden u te wenden tot het Centraal Archieven Depot van het ministerie van Defensie, Diepenhorstlaan 30, Rijswijk. Maar het kan zijn dat een deel van het archief van het ministerie van Defensie uit de oorlogsjaren inmiddels is overgedragen aan het Nationaal Archief: Prins Willem- Alexanderhof 20, Den Haag.*
>
> *In de bijlage nog een paar voorbeelden uit ons archief inzake gevorderde rijwielen.*

Afschrift.
Departement van Defensie,
Afwikkelingsbureau.
Ie Afd. Nr. 1 (C-k) 's-Gravenhage, 1 April 1941
Onderwerp:
Opgave uitgereikte rijwielen.

Bij de behandeling van verzoeken om vergoeding voor door de Nederlandsche en de bondgenootschappelijke legers tijdens de oorlogsdagen gevorderde rijwielen is mij gebleken, dat het

donderdag	vrijdag	zaterdag	zondag
31	1	2	3
BOEKENBEURS ANTWERPEN t/m 11 NOVEMBER	*Start Nederland Leest*	*Nederland Leest*	*Nederland Leest*

*in bruikleen uitreiken vanwege het Nationaal Fonds voor
Bijzondere Nooden van onbeheerd aangetroffen rijwielen aan
de eigenaars van niet-terugontvangen rijwielen geschiedt,
althans is geschied, onafhankelijk van de mogelijkheid, dat
tevens schadeloosstelling mijnerzijds aan de eigenaars wordt
c.q. werd toegekend.*

HET HOOFD VAN HET AFWIKKELINGSBUREAU
(get.) B. HASSELMAN

Dit nog drie keer lezen zonder een jota dichter bij de bedoelde
bedoeling te komen, dus dan maar weer naar bed om te proberen nog een tweede filmpje over de herkomst van onze verrekijker aan elkaar te dromen.

Wat voor type vrouw had J. Treurniet? Getuige die zoon Jaap
was hij in elk geval getrouwd, of is hij dit althans geweest. Dan
kan de veldkijker dus ook zijn gebruikt door mevrouw Treurniet. Maar hoe en waarom?

*Netty Treurniet keek zenuwachtig op haar Prisma-dameshorloge.
Kwart over tien pas. Haar beste vriendin, Diana de Boer, had een
afspraak om halfelf, dus ze hoefde zich niet te haasten. Gepraat
werd er al genoeg in Berkel en Rodenrijs, dus vooral niet linea recta
tot op honderd meter van de tandheelkundige praktijk stiefelen,
maar op d'r dooie akkertje wandelen, paar keer stoppen onder-
weg, Jans verrekijker af en toe quasibelangstellend op de wolken
richten en hier en daar wat madeliefjes plukken.*

*Vanmorgen om vijf uur was ze al wakker, want hij wou maar niet
uit haar hoofd. Mijn hemel, wat een knappe man was die nieuwe
tandarts me daar toch! Er zo op-en-top uitzien als een filmster
maar toch wel degelijk een echte dokter zijn – dat maakte hem zo*

week 45	maandag	dinsdag	woensdag
m 4 11 18 25	4	5	6
d 5 12 19 26	*Nederland Leest*	*Nederland Leest*	*Nederland Leest*
w 6 13 20 27			
d 7 14 21 28			
v 1 8 15 22 29			
z 2 9 16 23 30			
z 3 10 17 24			

58 *onweerstaanbaar. In Amerikaanse films zag je vaak genoeg
knappe mannen die tandarts waren of dokter of een chirurg die
geen geld wilde hebben voor zijn operatie, terwijl dat oorspronke-
lijk helemaal verlamde meisje aan het einde ijskoud en straalver-
liefd hand in hand met een ander naar de horizon liep, maar dat
waren acteurs, die niet echt gestudeerd hadden.*

*Feitelijk was haar tandarts dus op twee manieren knap en daar
stond haar verstand gewoon bij stil. Haar eigen Jan was heus geen
kwaaie, maar die stelde op geen enkel terrein iets voor, dat hoefde
ze niemand uit te leggen, want dat zag iedereen zo wel. Een kleine
man, in alle opzichten.*

*Dr. Vlimmen was op een bepaalde manier ook zo iemand als
tandarts Van Ravenstein geweest, en de Amerikaanse vliegenier
Charles Lindbergh natuurlijk, en prins Bernhard vanzelf, die dag
en nacht studeerde om Opperbevelhebber van het Nederlandse
Leger te worden, en de toneelspeler Paul Steenbergen.*

Zou haar nieuwe tandarts hetzelfde bij Diana doen?

*Zij hadden het er nog niet over gehad samen, alleen dat ze zo
blij met hem waren, na die seniele, handtastelijke dokter Mulder.*

*Volgens Diana was tandarts Van Ravenstein ongetrouwd om-
dat hij van het handje was, dus wat dat betreft gaf het ook helemaal niks hoe Netty zich gisteren had laten behandelen en moest
zij niet zo mal en benepen doen, maar ja, dit was Berkel en Rodenrijs en geen New York of Chicago waar hij in die nieuwe techniek
was afgestudeerd, want in zijn praktijk hing daar zelf een diploma
van aan de muur.*

*In Amerika was deze aanpak namelijk heel normaal, had hij
haar verteld. Zo deed de helft van de tandartsen het daar. En met
groot succes. Alleen bij vrouwelijke patiënten vanzelfsprekend,
anders kwamen er maar praatjes van. Jongere vrouwen, die al
hun eigen tanden en kiezen nog hadden. Oudere patiënten, met*

donderdag	vrijdag	zaterdag	zondag
7	8	9	10
Nederland Leest	*Nederland Leest*	*Nederland Leest*	*Nederland Leest*

59

een kunstgebit, daar had de methode geen zin bij. En van tevoren had hij nadrukkelijk gezegd dat hij haar ganselijk niets wilde opdringen en dat zij gerust nee kon zeggen.

Wat hij allemaal deed was dus voor honderd procent tandmedisch verantwoord en zij moest zich niet van die daze muizenissen in haar hoofd halen. Trouwens, ze wist nog geeneens hoe tandarts Van Ravenstein van voren heette, dus wanneer hij op iets anders uit was dan had hij zijn jongensnaam toch zeker wel genoemd?

Het uitgangspunt van zijn aanpak was dat iedereen zijn eigen gebit het beste kende, van binnenuit dan.

De tong der patiënt kwam in hoekjes en gaatjes die de tandarts met zijn haakjes en beiteltjes ook wel kon bereiken, maar in zo'n houweeltje zat nu eenmaal geen gevoel.

Al die werktuigjes gaven weliswaar aan zijn polsen, handen, vingers en ogen door waar een gaatje ging ontstaan en waar tandsteen dreigde te koeken, maar het enige instrument dat met opperste precisie een loepzuivere rapportage van de binnensmondse situatie kon leveren was de menselijke tong.

Kijk, mevrouw Treurniet, ik bedoel dus dit, had dokter Van Ravenstein in enen vertrouwelijk gezegd en toen was hij heel dicht bij haar gezicht gekomen en met zijn staalblauwe ogen keek hij geruststellend recht in de hare en hij zei: doet u de mond maar open, en toen had hij heel zorgzaam en nauwkeurig zijn tong bij haar naar binnen gestoken en rustig blijven ademhalen gezegd en daarna had hij een enorme rondreis gemaakt: bovenlangs, onderdoor, hoog en laag en voor en achter, en wat proefde hij heerlijk pepermuntig.

En of zij haar mond ietsje verder dicht wilde doen en dan weer zo wijd mogelijk open. Zij had echt haar best gedaan om netjes met haar tong opzij te gaan om hem er steeds makkelijk langs te laten, maar soms kon zij geen kant meer op. Toch zou zij het geen

november

En bij verongelukte driewiel
Don

week 46

maandag	dinsdag	woensdag
11	12	13
Nederland Leest	*Nederland Leest*	*Nederland Leest*
		Crossing Border, DEN HAAG

60   *tongzoenen willen noemen wat zij gedaan hadden want net toen zij bijna een flauwte van duizelende heerlijkheid kreeg, had hij zich teruggetrokken en gezegd: zo heb ik wel enigszins een indruk, en had hij haar stoel weer rechtop gepompt met zijn gespierde rechterdijbeen, want dat zag je zo wel.*

Even kijken, nog vijf minuten. Dan moest Diana. Ziezo, de paddestoel.

Leve de ANWB. *Gewoon op gaan zitten, daar zijn ze voor. Wanneer er dan iemand langs komt fietsen die wil kijken hoe ver hij nog naar Delft moet dan til je alleen even je benen omhoog en draai je een stukje opzij, dat ze dat kunnen lezen.*

Maar net als zij de kijker op het kleine dijkhuisje wil richten, hoort zij gezang:

TURF IN JE RANSEL, TURF IN JE RANSEL!

O, jeminee, weg met dat ding! Dat geeft alleen maar zwarigheid.

STRO, DAT IS GEEN MODE MEER! TURF IN JE RANSEL!

Zij wil de kijker achter de paddestoel leggen, maar laat hem het laatste stukje vallen. Dat heeft de voorste soldaat gezien en die komt naderbij en hij bukt zich en raapt het ding op, in verbazing. De gewone soldaten zingen nog even door.

TURF IN JE RANSEL! FLINK JE KOP OP DEZE KEER!

'Behoort deze veldkijker wellicht aan u, jongedame?' vraagt de soldaat.

Jongedame, zegt hij, en ze is tweeëndertig. Ook best wel een knappe man, dit, al zou ze hem geen filmster willen noemen, want die dragen geen brillen.

'Van mij?' vraagt Netty Treurniet onnozel, en daarna houdt zij haar mond zo wat in de vraagstand, half open maar met al haar witte tanden goed zichtbaar, en zegt zij doodleuk: 'Nee hoor. Zeker verloren door een vakantieganger.'

'Juist ja,' knikt de soldaat bedachtzaam.

donderdag	vrijdag	zaterdag	zondag
14	15	16	17
Nederland Leest	*Nederland Leest*	*Nederland Leest*	*Nederland Leest*
Crossing Border DEN HAAG-ENSCHEDE	*Crossing Border* DEN HAAG ENSCHEDE	*Crossing Border* DEN HAAG	*Crossing Border* ANTWERPEN

En dan geeft hij de kijker aan de soldaat die links vooraan 61
staat en zegt hij: 'Bewaar jij deze kijker zolang op de man, sol-
daat Terschegget, dan deponeren wij hem morgen bij de foerier
van de gevonden voorwerpen in Gorinchem, om de gedachte te
bepalen.'

'Tot uw orders sergeant,' zegt die andere soldaat en nu draait
de sergeant zich naar haar toe en hij salueert en vraagt: 'Kan ik u
verder nog met iets van dienst zijn, jongedame?'

De gewone soldaten moeten lachen, want die denken allemaal
de hele dag maar aan hetzelfde natuurlijk, dat begrijpt zij ook nog
wel, maar de sergeant blijft heer en vertrekt geen spier.

'Neen sergeant, ik zou het niet weten,' zegt Netty Treurniet vanaf
haar paddestoel.

En weg marcheren zij alweer. Het leken er minstens twintig. Ze
kijkt hen beverig na en dan moet ze opeens onstuitbaar huilen, al
heeft ze geen idee waarom. Dat daagt haar meestal pas halver-
wege de tranen.

Laat ik deze morgen nu eens beginnen met het streng selecte-
ren van de strekkende meter zakagenda's van mijn vader. Die
staan sinds zijn overlijden op een keurig maar deprimerend
rijtje in mijn boekenkast. Wanneer ik ze nu voorlopig onder-
breng in drie, vier grote schoenendozen – en deze zolang onder ons bed schuif – win ik een meter kastplankruimte en hoeven er minder boeken weg. Slim van mij.

Het zijn er drieënvijftig: de laatste agenda stamt uit 1979,
zijn jaar van overlijden. Ze hebben hem allemaal overleefd, alhoewel ze stuk voor stuk zijn kromgetrokken; mijn vader was
gewoon zijn boekje in de achterzak van zijn broek te dragen,
zodat ze na een vol kalenderjaar voorgoed naar zijn rechterbo-
venbil waren gaan staan.

En als er een belastend papi met de beschreven kant bo

maandag	dinsdag	woensdag
18 *Nederland Leest*	19 *Nederland Leest*	20 *Nederland Leest*

62   Wat hij op een werkdag en in het weekeinde allemaal gedaan heeft, hoe hij zich voelde, hoeveel hij uitgaf en waaraan, waar hij over inzat, de dingen die hem stoorden, de prijs van een rol pepermunt, het weer van die dag, de mensen die hij ontmoette, de stand van de driemaandelijks opgebouwde provisie en van zijn eigen gezondheid en die van mijn moeder en de poezen en de honden, de films en theatervoorstellingen die zij bezochten, de rapportcijfers van mijn zusje en van mij, de vakantieplannen die hij smeedde, de uitslagen van Holland-België, de zetelverdeling der Tweede Kamer na de verkiezingen – alles, alles hield mijn vader bij. Het lezen van zijn oorlogsalbum kostte mij een vol weekend, maar dit zijn drieënvijftig maal driehonderdvijfenzestig intieme tekstjes en notities tot op de binnenzijde van het lederen omslagje. Hier valt niet aan te beginnen. Plus alle spijt die dat gaat geven, om wat ik tegen hem gezegd heb en wat ik hem nooit heb verteld. Maar ook vormt deze rij van voor tot achter volgeschreven zakagenda's een handgeschreven Wikipedia.

Ik wilde bijvoorbeeld weten of de acteur Paul Steenbergen wel logisch in de denkwereld van Netty Treurniet paste, in 1940. Dus blader ik door de agenda van dat jaar. Niks. 1939 proberen.

En jawel hoor, keepersgeluk. Bij 2 april heeft hij geschreven:

Voor Annie's verjaardag heerlijk naar Haagsche Schouwburg. Annie bang voor griezelen, maar stuk Spoken (van Ibsen) alleen maar prachtig. Zoon Oswald: Paul Steenbergen, de moeder: Fie Carelsen. Heerlijke avond, knap, knap, knap!

Het allereerste agendaatje meet zeven bij elfenhalve centimeter en heeft een kaft van vloeikarton waarop gedrukt staat:

donderdag	vrijdag	zaterdag	zondag
Nederland 21 *Leest*	*Nederland* 22 *Leest*	*Nederland* 23 *Leest*	*Nederland* 24 *Leest*
		Herfdag Boudewijn Büch, 2002	*Spinoza- dag*
Festival Wintertuin, NIJMEGEN	*Wintertuin Festival, NIJMEGEN*	*Wintertuin Festival, NIJMEGEN*	*Paradiso, AMSTERDAM*

Portefeuille-Almanak voor 1926. Toen was mijn vader zeven-   63
tien.

Neen: zestien. Want pas weer jarig in september. Bij zondag
3 januari heeft hij een hartje getekend met een pijl erdoor en
daaronder staat geschreven: *A. Snaauw. Stortstraat 29, Haag.*
Annie? Dat werd dus mijn moeder en zij was zestien. Neen:
vijftien, want pas jarig in april.

En er woedde al een dreigend onweer achter mijn ogen,
maar ik vergiet een vingerhoedje oude tranen wanneer ik lees
dat hij bij 9 september met uitgelaten halen heeft geschreven:
Voor 't eerst in de lange broek!!

Mijn vader vergalde anderhalf jaar van mijn jeugd, maar daar
kon hij niets aan doen. Dat begrijp ik nu pas, uit deze juichen-
de aantekening.

Zijn eigen vader, de keiharde machinist op de wilde vaart,
die per kalenderjaar hooguit twee maanden thuis was, had
hem leefregels voorgeschreven die hij precies zo spartaans in
mij wilde overplanten.

Elke dag beginnen met twintig diepe kniebuigingen en horizontaal gestrekte armen voor het zomer en winter open-
geschoven raam, altijd eerst tot tien tellen voordat je iets be-
langrijks besluit te zeggen of te doen, bij het lopen diep en
ritmisch in de maat ademhalen en elke zaterdagavond douchen
met kletterend, ijskoud water.

Daar werd je groot van.

Maar dat was ik toch al? Ik was sodejume twaalf en zat in de
brugklas, op de Zonnebloemschool. 'De zevende' werd deze
schakel tussen lagere en middelbare school ook wel genoemd.

Mijn klas telde tweeëntwintig leerlingen, van wie ik de enige
jongen zonder lange broek was. Ik droeg weliswaar geen korte

week 48

maandag	dinsdag	woensdag
25 *Nederland Leest*	26 *Nederland Leest*	27 *Nederland Leest*

64   broek meer, maar ging dag in dag uit gehuld in het summum van lulligheid: de pofbroek of plusfour. Die van Kuifje, u weet wel. En altijd dezelfde, want ik had er maar eentje, van licht-grijs ribfluweel. Nou, dan kon je net zo goed in je blote reet lopen.

Mijn vader was een schat van een man, die het beste met mij voorhad.

Toen het nog wemelde van de doodstille kilometers auto-weg mocht ik al op mijn vijfde in mijn korte broek op zijn schoot zitten en zelf rijden, terwijl hij mijn sturen maar een heel klein beetje en zo onmerkbaar mogelijk corrigeerde.

Aangezien de hoepels en sleetjes, nog daterend uit hun ei-gen jeugdjaren, in de Hongerwinter waren opgestookt, poog-den vaders en moeders na de oorlog, voor zover dit financieel mogelijk was, ons gebrek aan speelgoederen zo snel mogelijk weg te werken. Mijn vader kocht geen speelgoed voor me, maar fabriekte dit zelf, samen met mijn timmerende andere opa. Een blokkenwagen, de rode houten garage, een teken-doos en jaren later zelfs nog eens een ijshockeystick.

De knuffels werden nog eigenhandig door de moeders ge-haakt en gebreid en wij werden nog niet uitbesteed aan oppas-sende derden.

Alle liefde, tijd en aandacht kwam van de ouders zelf. Waar-schijnlijk is er nooit een jeugd van Nederland zo ruimhartig beschermd en vertroeteld als juist mijn generatie van arme oorlogskinderen.

Wat hadden wij niet allemaal moeten doorstaan!

Daarom. Nee, dat ging helemaal goed komen. Steek jij het theelichtje maar vast aan.

Maar betreffende mijn eerste lange broek bleef mijn vader onvermurwbaar. Hij weigerde te erkennen dat de leeftijds-

donderdag	vrijdag	zaterdag	zondag
Nederland 28 *Leest*	*Nederland* 29 *Leest*	*Nederland* 30 *Leest*	1
		sterfdag Simon Carmiggelt, 1987	

65

grens die voor hem had gegolden achterhaald was, ondanks het feit dat al mijn vrienden vanaf hun twaalfde een volwassen pantalon mochten dragen.

Tegenwoordig speelt die overgangsleeftijd geen enkele rol meer.

Toen mijn eigen zoon drie was droeg hij al een lange broek, waarin hij bij mij op schoot mocht zitten sturen.

In 1953 kreeg ik psychosomatische galaanvallen van die drollenvanger. Dat was een nachtmerrie die een vol jaar duurde.

Over mijn hele lichaam woekerden er grote rode bulten die permanent jeukten en op de weekste plekken met elkaar versmolten, waardoor vooral mijn buik, liezen, knieholtes en de binnenkanten van mijn armen enorme wijnvlekken vertoonden.

Bij een plotselinge vlaag van megajeuk probeerde ik eerst tot tien te tellen, maar ik kwam hooguit tot drie of vier en begon dan razend te krabben. Ook op school.

Mijn ouders en zusje werden er thuis nog zenuwachtiger van dan ikzelf al was. Wie of wat was er toch in mij gevaren?

Mijn bezorgde maar goedgelovige vader nam mij mee naar een zogenaamde magnetiseur, bij ons om de hoek.

Deze beunhaas bedreef zijn alternatieve praktijken in de muf gestookte huiskamer van een portiekwoning, die hij deelde met ten minste honderd eenden van klei, pitriet, raffia, rubber, hout en porselein.

Overal stonden ze. Naar grootte gerangschikt naast elkaar op het dressoir, achter de glazen deuren van drie speciale hangkastjes en zelfs in een guitige optocht langs de plint, de hele kamer rond.

De allerkleinste eendjes woonden in een aan de wand ge-

En wanneer de auto over een lan
naar de langswiehende boom to kp
zo dom zijn.

december

week 49	maandag **2**	dinsdag **3**	woensdag **4**
m 2 9 16 23 30			
d 3 10 17 24 31			
w 4 11 18 25			
d 5 12 19 26			
v 6 13 20 27			
z 7 14 21 28			
z 1 8 15 22 29	*week van het Grote Bo*		

66 hangen letterbak. Ik kreeg het zo benauwd onder het grommen en strijken van de zelfverklaarde genezer dat ik niets dorst te zeggen, laat staan te vragen. Ook mijn vader deed er angstvallig het zwijgen toe en bleef mij gedurende de hele behandeling met opgetrokken wenkbrauwen aankijken; of het al wat minder jeukte.

Af en toe knikte ik leugenachtig terug.

De magnetiseur behoefde mijn galbulten niet eens te bekijken. Hij zag namelijk zo wel wat eraan schortte: er huisde een zeldzame zenuwknoop onder mijn rechterschouderblad, maar die kon hij er in tien behandelingen uit strijken.

Zelfs zonder mij aan te raken: hij hield keurig een handbreedte afstand van mijn jeukende jongenslichaam, terwijl hij zijn armen en schouders overdreven liet trillen van de heilzame vibraties.

Hoewel hij de kwade galbron had gelokaliseerd op mijn rug, zat hij gedurende de laatste vijf van de tien sessies met zijn aardappelhoofd naar mij toe, op zijn knieën, omdat hij de knoop dwars door mijn borst heen makkelijker kon wegmagnetiseren.

Was het nou een steriele ruimte geweest als een kale ziekenhuiskamer en had de genezer een betrouwbare witte doktersjas gedragen, dan zou ik nog wel enig geloof hebben gehecht aan zijn behandelwijze.

Maar hoe kon ik vertrouwen stellen in die kameelharen pantoffels, de uitgelubberde bretels over zijn borstrok en de sigaar die hij steeds even terzijde legde in de als asbak dienstdoende open rug van een geglazuurde woerd?

Ik ging er maar van uit dat de aanwezigheid van die eenden bij de behandeling hoorde en dat ze helende krachten uitstraalden.

Steeds opnieuw, na precies zeven streken, wapperde hij krachtig met zijn handen, zoals je dat bij de afwas doet wan-

donderdag	vrijdag	zaterdag	zondag
5	6	7	8

sinterklaas leest zelf geen letter

neer je de theedoek niet zo snel kunt vinden. Daardoor zouden de verenigde eenden mijn jeuk overnemen, maakte ik mijzelf tijdens de eerste drie sessies nog wijs, ook al bemerkte ik geen spat verbetering. De naam van die oplichter heb ik verdrongen, maar overdag werkte hij in de centrale remise van de HTM, de Haagsche Tramweg-Maatschappij. Dat magnetiseren deed hij er dus gewoon bij, voor vier gulden vijfenzeventig per halfuur.

Ik weet die prijs nog zo precies omdat mijn vader na zo'n strijksessie twee grote zilveren rijksdaalders door een gleuf in de grootste eend moest laten glijden, die midden op de balpoottafel stond en als kassa diende. Hij had dus recht op een kwartje terug, maar dat heb ik die handoplegger nooit zien geven.

Uit medelijden met mijn bedrogen vader bezwoer ik hem na die tien visites dat de bulten er weliswaar nog allemaal zaten, maar dat ze veel en veel minder jeukten, werkelijk waar. Ik ben ervan overtuigd dat ze simpelweg ontstonden door de psychische belasting van die rampzalige plusfour en dat ik geen greintje jeuk had gekend wanneer mijn vader mij voor de kosten van slechts twee strijksessies, zijnde negen gulden negenenveertig, in een lange broek zou hebben gestoken.

Nu bleef ik tot overmaat van ramp ook nog zitten in de brugklas, in de vaste overtuiging dat ik nooit van mijn leven verkering zou krijgen. Alleen een blind meisje zou naast een jongen willen lopen die zijn beide pofpijpen in wanhoop liet slobberen, om het gevalletje toch maar zo veel mogelijk op de gedroomde lange broek te laten lijken; maar dan deed mijn verschijning weer denken aan het gekleurde plaatje van de '*harembroek*' uit de gratis Blue Band-encyclopedie 'IK WEET HET'.

Kortom, ik wilde elke week wel een paar keer dood.

68   Mijn moeder beet meelevend op haar lippen wanneer ik haar vertelde wat mij zo beknelde, maar zij stond machteloos. Iedere cent van het bestede huishoudgeld moest zij kunnen verantwoorden en het was haar niet vergund op eigen houtje kleding aan te schaffen.

Mijn vader kocht nu eenmaal alles. Tot en met haar ondergoed.

Ten einde raad heb ik hem genadeloos bestolen.

Hij was vertegenwoordiger bij de uitgeverij en boekbinderij Van Rijmenam in Den Haag; de beroemde fabrikant van foto- en receptiealbums en de Rijam zak- en schoolagenda's.

Ons bescheiden bestaan in die opbouwjaren kreeg periodiek enige glans door de aan mijn vader uitgekeerde provisie.

Eens per kwartaal ontving hij een percentage van de door hem verkochte papier- en lederwaren. Handje contantje. Dit was een stapeltje bankbiljetten dat werd bewaard onder het geborduurde lopertje op het dressoir. Briefjes van tien en vijfentwintig gulden, soms gevat in twee of drie eromheen gevouwen lapjes van honderd.

En dan daarbovenop de fruitschaal waarin – tussen de sterappeltjes – de thermometer, de leukoplast, de knipkaart voor de tram, zijn autosleutels en zijn maagtabletten lagen. Die heb ik na de diefstal natuurlijk precies zo teruggezet. Vijfentwintig gulden heb ik toen gejat van mijn vader. Dat zou hij vast niet missen, één briefje.

Hij had er immers nog een hele zwik over?

Ik was vast van plan met deze som gelds naar C&A te gaan om er een geheime lange broek van te kopen. Maar die moest ik dan natuurlijk ergens verstoppen. Thuis was dat onmogelijk. Daar waren geen geheime verbergplaatsen. Op een ander adres bij een vriendje ging ook niet, want die ouders konden

donderdag	vrijdag	zaterdag	zondag
12	13	14	15
			snoeplezen

mij en mijn broek verlinken aan mijn moeder, bij de slager of   69
de bakker. Terwijl wij nota bene een Henk Broekhuis in de
klas hadden, die mij best zou willen dekken.

En mijn vader 's avonds aan de vrijgemaakte eettafel maar
radeloos optellen en aftrekken, met zijn vierkleurenpotlood,
nerveus bladerend in zijn agenda, waar die vijfentwintig gulden toch in hemelsnaam kon zijn gebleven.

Ik liep op mijn tenen om hem niet te storen en dacht zijn bange
vermoeden te voelen gloeien. Maar nee, dat was onmogelijk.

Zo had hij zijn zoon niet opgevoed. Die zou dat nooit doen.

Ik heb hem zelfs nog geholpen het dressoir van de muur te
schuiven om te kijken of mijn geeltje daar niet toevallig ergens
achter was getocht.

Maar niks hoor. Snap jij dat nou?

Ik zou die geheime lange broek natuurlijk ook kunnen verstoppen tussen de bouwmaterialen achter ons huis, waar de
woonwijk Morgenstond verrees.

Dan fietste ik 's ochtends doodleuk in mijn plusfour de
straat uit, wisselde ik achter een flinke partij bakstenen van
broek, verstopte de drollenvanger onder een stuk golfplaat, en
's middags trok ik in omgekeerde volgorde het zaakje weer uit
en aan. Oppassen dat ik niet ineens mijn vader op het balkon
zag staan met de verrekijker of dat er op school een klassen-
foto zou worden gemaakt waarop ik mijn criminele pantalon
droeg, of wedden dat ik op een goeie dag een kleine bouwvak-
ker met een stapel bakstenen op zijn schouder zou zien rond-
sjouwen in mijn oude plusfour of, nog erger, in mijn hagel-
nieuwe lange broek?

Ik kwam er niet uit. De risico's waren te groot. Een week lang
heeft die vijfentwintig gulden in de kontzak van mijn verrotte
pofbroek gebrand. Het gestolen goed gedijde niet.

week 51	maandag	dinsdag	woensdag
🐌	16	17	18

70   Op woensdagmiddag ben ik nog wel gaan kijken bij C&A. De keuze aan lange jongensbroeken was overweldigend. Ze waren er al van zeven gulden en negenennegentig cent. Ik had er zelfs twee kunnen nemen. Dan had ik nog over. Daarvan misschien een mooi nieuw zakkammetje voor mijn vader kopen? Maar hoe was ik dan zogenaamd aan dat geld gekomen? Zakgeld kreeg ik nog niet. Nee, ik kon geen kant op.

Op een maandagmorgen vertrok mijn vader, bedrukt piekerend, voor zijn wekelijkse verkoopreis. Brabant en Limburg deze keer.

Voordat hij vrijdagavond weer thuiskwam dacht ik mijn geweten te ontlasten en de diefstal ongedaan te maken door mijn gegapte briefje onder het dressoirlopertje terug te leggen, bij de rest van de provisie.

Hij heeft nooit iets over dat wonderlijk retour getoverde biljet gezegd en ik heb mijn schanddaad evenmin aan hem durven opbiechten. Ook niet aan mijn moeder. En pas voor mijn dertiende verjaardag mocht zij mij dan eindelijk de zo wanhopig begeerde lange broek schenken, waarbij zij een smartlap van de tekstdichter Koos Speenhoff aanhaalde en zachtjes in mijn oor zong: '*Nou konden ze Jantje niet plagen.*'

Hij was pauwblauw en een stukje te kort, maar er zat een omslag in dat mijn moeder wel kon uitleggen, maar nou nee, doe toch maar niet, mam, want alle jongens dragen juist geen broeken zonder omslag in de pijpen.

En zie je wel: in mijn eerste lange broek kreeg ik verkering met een meisje uit de parallelklas, dat zojuist eveneens de kleeftijd van dertien had bereikt en daar haar eerste beha voor had gekregen, wat pikant aan de vroege kant was.

Hier! Vertik ik het weer! Dat gebeurt mij deze maand nu al zeker voor de honderdste keer. Wanneer ik met de hand schrijf

nachtmerrie, zit de dromer
is rechtop in bed.

donderdag	vrijdag	zaterdag	zondag
19	20	21	22

maak ik zulke missers nooit en op de typemachine overkwam 71
mij dit vroeger niet half zo vaak, omdat daar de afstand tussen
de toetsen groter was.

Wanneer je er desondanks even naast zat priemde je linker-
of rechterwijsvinger nog in een onschadelijke diepte.

Mijn beide kinderen hebben een kleine maar onuitwisbare
herinnering die niet visueel maar puur auditief is: zij kunnen
zich nog het geluid herinneren van de typemachinetoetsen en
het retourbelletje van de met de rechterhand teruggeschoven
wagen. Uit school thuiskomen, dit buiten al horen en weten
dat vader aan het werk is en niet gestoord mag worden.

Over vijftig jaar zal niemand meer begrijpen wat die rare ge-
luiden verbeelden in het instrumentale jarenvijftignummer
'The Typewriter', van componist Leroy Anderson.

Op mijn laptop liggen de letters daarentegen zo hoog aan de
dichte oppervlakte van het toetsenbord en dermate vlak bij elkaar dat bijvoorbeeld bij het aanslaan van de l, de linksbelen-
dende k regelmatig ongemerkt meelift, zodat er 'kleeftijd' blijkt
te staan terwijl ik 'leeftijd' dacht te tikken. En onverhoeds wordt
onderhoeds, gebruik geruik, later klater, verhalen verfhalen,
bijlage bijklage, dromen drommen, voetbalschoenen voet-
balschonen, verder verderf, vertonen vertronen, beluisteren
bedluisteren, vervolg verfvolg en waarschijnlijk een enkele keer
warscheijnlijrstk.

Nu moet u weten dat ik dwangmatig woordspelig ben. Altijd al
geweest. Daarom zou ik juist tevreden moeten zijn met zo'n
toevalstreffer als 'kleeftijd' en mij niet zo moeten ergeren
wanneer de omineuze lading van die tikfout mij met de neus
op de werkelijkheid drukt: ik ben tegenwoordig eenenzeven-
tig jaar oud, maar mijn kleeftijd, de periode waar ik altijd

maandag 23	dinsdag 24	woensdag 25

72 maar weer naar terugkeer, de jaren waarvan ik mij nooit helemaal heb of zal kunnen losmaken, ligt tussen de vier en eenentwintig, wat betekent dat ik geestelijk nogal eens blijf plakken in de decennia vijftig en zestig van de vorige eeuw.

Dit terwijl ik steeds vaker rare vlekken tegenkom op gekke plekken: er zit plotseling jam aan mijn bril of tandpasta op de elleboog van mijn colbert. En meer dan eens merk ik pas om halfdrie in de middag dat mijn gulp al vanaf negen uur 's ochtends moet hebben opengestaan. Gewoon vergeten, na het aankleden. Net zoals tientallen schrijversnamen en boektitels die ik wel duizend keer kan zeggen, maar niet heus.

Maar als ik mijn ogen dichtdoe zie ik zowel mijn vaders schuinschrift als zijn blokschrift even helder voor mij als zijn goedmoedige gezicht. Ook het handschrift van mijn moeder, dat totaal verschillend van het zijne was maar even prachtig en persoonlijk: een zelfverzekerde en elegante vrouwenhand die naar het einde toe zichtbaar begon te twijfelen, waardoor ik uit haar bibberende penvoering nauwkeuriger begreep hoe het haar werkelijk te moede was dan uit de steevast opgewekte woorden die zij aan haar briefpapier toevertrouwde.

O, jazeker, absoluut: Twitter, Facebook, Linkedin en Hyves – het zijn schitterende media, maar ze leiden onontkoombaar tot leugenachtige profielen. Gooi er voor de zekerheid nog maar een schepje op.

Mentaal gezien is liegen in een handgeschreven brief nu eenmaal stukken moeilijker. Ik bedoel: mijn vader kan dat gekrabbelde fietsvorderingsbriefje eenvoudig niet hebben verzonnen, in 1940.

Heeft u wel eens literaire facsimile's van een favoriete schrijver onder ogen gekregen, of reproducties van diens handgeschre-

en zongen door in het tapijt.'
(Ludwig Bemelmans)

donderdag	vrijdag	zaterdag	zondag
26	27	28	29

ven verbeteringen in de kantlijn van een drukproef en kunt u
zich dientengevolge, bij het horen van willekeurige grote namen
als Louis Couperus, Adriaan Roland Holst, Simon Carmiggelt,
Willem Elsschot, Hella Haasse, Gerrit Komrij en Annie M.G.
Schmidt, het bij deze schrijver behorende handschrift voor
ogen roepen?

Denk hier ook aan de wollig zwierende schriftuur van Hugo
Claus, de pinnige struikelregels van Gerard Reves kroontjespen en het luierende schuinschrift van Remco Campert, waarbij de letters na een aantal vrolijke buitelingen steeds even lijken te moeten gaan liggen.

Het blijft een ondoorgrondelijk verschijnsel: als schoolkin-
deren wordt ons aangeleerd dat wij allemaal iedere letter op
precies dezelfde wijze dienen te schrijven, maar ons strikt persoonlijke karakter boetseert al snel een heel eigen versie van
de voorgeschreven eenvormigheid en al na een jaar of twee
kon je zien en zeker weten van welke klasgenoot een niet on-
dertekend briefje afkomstig was.

Mijn generatie is wellicht de laatste generatie kinderen van
wie de meeste ouders prachtig konden schrijven, wat een be-
langrijke reden was om trots op hen te zijn.

Toen bestonden er nog mannen die een vrouw konden ver-
leiden met de kracht en pracht van een handgeschreven liefdes-
brief.

'Je vader had toch zo'n heerlijk handschrift...' verzuchtte mijn
moeder regelmatig, tot lang na zijn dood. Al zijn schrijfsels
heeft ze bewaard, tot en met de boodschappenlijstjes.

Mocht een ontvangen brief vandaag de dag al handgeschreven zijn, dan ontroert hij alleen nog door de inhoud – een enkele uitzondering daargelaten, hebben mensen van onder de
tachtig geen mooi persoonlijk handschrift meer.

week 1	maandag	dinsdag	woensdag
m 6 13 20 27	30	31	1 *Gelukkig Boekjaar.*
d 7 14 21 28			
w 1 8 15 22 29			
d 2 9 16 23 30			
v 3 10 17 24 31			
z 4 11 18 25		*maar het mooiste vuurwerk was van F.B. HOTZ*	
z 5 12 19 26			

74   Maar alle elektronische ontwikkelingen ten spijt, of juist dankzij de digitale revolutie, klinkt het woord 'handgeschreven' vandaag de dag positiever dan ooit tevoren. *Hartelijk dank voor uw handgeschreven(!) brief.*

In de twintigste eeuw was het afdrukken van de handgeschreven naam van de fabrikant op de verpakking van zijn artikel het geruststellende bewijs van diens persoonlijke garantie.

Wanneer iets niet in de haak was, kon je de directeur in hoogsteigen persoon uit bed bellen. Platenhoezen uit de jaren zeventig en tachtig werden op de voor- en achterzijde vaak voorzien van cursieve teksten, geschreven door popmusici die zogenaamd niets moesten hebben van de kapitalistische druktechnieken.

En waar zullen de liefdesbrieven blijven, die jarenlang gekoesterd werden in een met honderden schelpjes beplakt klein kistje waaromheen een paarsfluwelen lint zat, dat eenmaal per jaar na het herlezen van de vroegere ontboezemingen peinzend opnieuw gestrikt werd? Hoe romantisch gaan wij onze intiemste mailtjes bewaren?

Dan zullen we ze toch eerst glamourloos moeten uitprinten.

Het handschrift daarentegen belichaamt iemands oorspronkelijkheid. Zolang er nog post wordt bezorgd licht men een met de hand beschreven enveloppe eerder uit het stapeltje dan de blauwe belastingbrief of een bedrukt pakketje. Heel even voelt het alsof de man of de vrouw, van wie wij de schriftuur onmiddellijk herkennen, in eigen persoon op onze deurmat ligt. En dat geeft voorpret. Of ergernis natuurlijk. Bovendien kunnen wij ons bij het schrijven van een brief snakerijen en charmante verzuchtingen veroorloven die bij het zenden van een mailtje of sms'je geen effect hebben.

donderdag	vrijdag	zaterdag	zondag
2	3	4	5

Een digitaal verzonden bericht bereikt de geadresseerde zon- 75
der tussenkomst van een derde persoon, maar wanneer u een
complimenteuze brief of toepasselijke ansichtkaart verzendt
aan een vriendin en als adressering vermeldt:

aan de vrouw met de mooiste benen
van Berkel en Rodenrijs,
ook wel bekend als
Diana de Boer
Ventweg 48
2516 EP Berkel en Rodenrijs

dan brengt u deze Diana een postale serenade, die des te meer
aan kracht wint omdat uw openbare liefdesverklaring onder-
weg door meerdere mensen gelezen kan zijn; niet alleen op
het hoofdpostkantoor, zo stel ik mij voor, maar ook op het regionale sorteercentrum en ten slotte door de postbesteller in
deeltijd (musicus, schrijver, acteur, kunstschilder) zelf.

Dit besef brengt de aanbedene gevleid aan het blozen: u blijkt
bereid haar schoonheid en uw genegenheid aan de grote klok
te hangen.

Mijn laptop bliept. Mailtje van het Nationaal Archief. Hier was
ik beland na een gesprek op het Militair Archief, waar men mij
niet verder kon helpen. Nu dus wel. Eindelijk. Hoera.

Edoch Medewerker Dienstverlening René M. Haubourdin
schrijft:

Het archief van het regelingsbureau van grenadiers heb ik niet
kunnen vinden; of het is vernietigd volgens de instructies of later
is verloren heb ik ook niet kunnen achterhalen. De bron van de

Muziek dient zo goed om tijdens .

week 2	maandag	dinsdag	woensdag
	6	7	8

76

brief verzonden vanuit dit bureau op 1-8-1940 is niet meer aanwezig.

Defensiearchieven werden volgens instructie in 1940 centraal verzameld en opgeslagen in de sigarenfabriek firma Hillen te Delft.

Hier is de bewerking, sortering en ook vernietiging van het archief ter hand genomen door gedemobiliseerd personeel. Volgens instructies is er een triage gemaakt in de archieven van de regelingsbureaus in te bewaren stukken van belang voor de geschiedenis van de oorlog en te vernietigen stukken, zonder waarde voor '...heden en toekomst'.

Doordat het archief van het regelingsbureau van het regiment grenadiers niet in de collectie van het Nationaal Archief berust en ook niet meer is te achterhalen wat ermee is gebeurd – het lijkt mij dat het is vernietigd –, levert dit archiefonderzoek helaas geen positief resultaat op. Wel jammer; ik was ook benieuwd naar de afloop van deze 'Petite Histoire' uit de meidagen van 1940.

Wat nu te doen.

Ik moet mij van voren af aan concentreren op J. Treurniet. Niet op zijn vrouw of op zijn zoon, maar op the man himself, met zijn kruideniersclaim. Hij moet een beetje schuldig zijn, J. Treurniet, een beetje een lullig kantje hebben, waardoor u er als lezer vrede mee heeft dat hij zijn geliefde veldkijker moet afstaan; niet ten faveure van mijn vader, maar ten dienste van het Vaderland.

Als het echt volop oorlog was geweest, had ik het natuurlijk een stuk makkelijker. Mijn vader loopt dan met zijn mannen een verkenningspatrouille, dwars door het groene hart van Zuid-Holland, wanneer hij vanuit de lucht door een neer-

donderdag	vrijdag	zaterdag	zondag
9	10	11	12

laatste dag
"overzicht
Nederlandse
krijgsgeschiedenis,"
Museum
Meermanno,
DEN HAAG

gelaten Duitse parachutist in zijn rechterdijbeen wordt ge-   77
schoten.

Nu kan ik sergeant Van Kooten tientallen meters laten krui-
pen, dekking zoekend met zijn jongens; jammerend en tijge-
rend tot vlak bij de dodelijk geschrokken J. Treurniet. Deze
probeert panisch buiten schot te blijven en heeft zich verscho-
len in het bushaltehokje aan het einde van de Leeweg.
'Kkkkijker...! Kkkkijker...!' stamelt de zwaargewonde sergeant
met zijn laatste krachten en hij steekt smekend een trillende
hand uit, omdat hij nog juist heeft opgemerkt dat deze burger
voorzien is van een veldkijker ter waarde van ongeveer fl. 9.75.

'Dat belooft optisch geen topkwaliteit en men moet lang
wetten eer men een houten hamer scherp maakt, maar alles is
beter dan niks,' knarsetandt mijn sergeant.

Zo kan hij tenminste tellen hoeveel moffen er nog in de lucht
hangen. Korporaal Wilschut, die goddank niet is getroffen, kan
dit aantal dan als de wiedeweerga gaan melden aan kapitein
R.A. van Holthoon op het hoofdkwartier bij vliegveld Ockenburg
en zo wordt de Wehrmacht een gevoelige slag toegebracht.

En omdat onze verderkijker in het heetst van de strijd van eigenaar wisselt, zou Treurniet natuurlijk nooit om een vergoeding durven vragen. Maar ik vrees dat het allemaal niet half zo
heroïsch is verlopen.

*Op de openbare lagere school en gedurende de gehele driejarige
mulo stond Jantje Treurniet in iedere rij jongens steevast op de
laatste plaats.*

Vanuit de gymnastiekmeester gezien was dit uiterst rechts.

*Zijn zoon Jaap staat van meet af aan helemaal aan het andere
uiteinde van het gelid en voelt zich daar precies even ongemakkelijk bij.*

week 3	maandag	dinsdag	woensdag
✍	13	14	15

78   Twaalf jaar oud was-ie pas en toch al een kop groter dan zijn
vader.

Jan Treurniet heeft geen idee waar dat heen moet.

Waarom hebben het leger en het onderwijs toch ooit besloten de
aan hun gezag toevertrouwde jongens en mannen dusdanig ver-
nederend te rangschikken?

Hoe staan de voetbalelftallen van Holland en België in de Hel van
Deurne voor aanvang van de match te luisteren naar de Bra-
bançonne en het Wilhelmus? In twee van klein naar groot of van
groot naar klein opgestelde formaties? Niks hoor. Allen staan gewoon
door elkander. Jan Treurniet kan er nog altijd kwaad om worden.

Denk eens aan alle gevoelens van minderwaardigheid – zo goed
als van misplaatste hoogmoed – die zo'n kortzichtige discipline
teweegbrengt! Een psychopedagogische schande, dat was het!

Hij beseft heel goed dat hij, gezien de huidige situatie, eigenlijk
opgelucht moet zijn dat hij destijds bij zijn keuring voor de militaire dienst krap honderdzesenvijftig centimeter lang bleek. Vanwege de vereiste minimumlengte van een meter tweeënzeventig
had hij nooit een hoge officiersgraad kunnen halen, maar dat had
voor hem ook helemaal niet gehoeven.

Ook als sergeant Treurniet had hij met gemak een peloton van
tien tot veertien mannen onder zijn vleugels kunnen nemen. Dat
wist hij zeker, want daar had hij vaak genoeg van gedroomd; van
zijn jongens, die stuk voor stuk een kop groter waren dan hun
commandant, maar hem eenvoudig op handen droegen en die
hem – wanneer hij even buiten gehoorsafstand was – liefdevol
schenen te betitelen als 'de Napoleon van Berkel en Rodenrijs'...

Op zijn nachtelijke repertoire prijkte nog een tweede droom die
zich min of meer liet sturen. Daarin richtte zijn genegenheid zich
op Diana de Boer, die samen met haar man Henk de beste bloe-

verstandig als de gemiddelde
ertig jaar." (H. L. MENCKEN)

januari

donderdag	vrijdag	zaterdag	zondag
16	17	18	19

menzaak van het dorp dreef: Floraliamia, 'vooral uw rouwkran-
sen en huwelijksboeketten'.

Henk de Boer was een naastpisser, dat wist heel Berkel. In
Rodenrijs noemde men zo'n type dan weer een scheefstapper,
maar dat betekende krek hetzelfde: naastpissers en scheefstap-
pers waren mannen die het met de huwelijkse trouw niet zo nauw
namen.

Minstens eenmaal per week vertrok Diana's echtgenoot voor
een hele dag en nacht naar Delft; zogenaamd om ideeën voor
nieuwe ruikers op te doen, maar daartussendoor wist iedereen
wel hoe laat het was.

De amoureuze escapades van Berkels belangrijkste bloemist be-
werkstelligden dat Jan Treurniet zich nauwelijks schuldig voelde
wanneer hij weer eens een wild hersenspinsel rond Diana weefde.

Vandaag is het de dertigjarige trouwdag van zijn schoonouders
en vanavond moeten zij naar restaurant De Platte Dekschuit in
Bleiswijk, om onbeperkt schol te gaan eten. Netty zelf is nu twee-
endertig, waar in het deels door Jan Treurniet geschreven feest-
lied nog subtiel naar zal worden verwezen.

Maar vanochtend wandelt hij in zijn eentje en in zijn enkele
hemmetje naar Floraliamia, om het boeket voor het jubilerende
echtpaar op te halen.

Netty had zelf willen gaan maar die wist nog niet wat ze vanavond aan moest dus had hij gezegd laat mij nou maar.

Hij heeft trouwens nog iets recht te zetten omdat hij haar van-
nacht weer eens wakker heeft gemaakt, om haar te zeggen dat hij
niet kon slapen. Daar kan hij niets aan doen, maar zo gaat dat
wel een keer of drie per week. Netty, die altijd net zo lekker sliep,
kan daarna zelf ook met geen mogelijkheid meer in slaap komen,
dus of hij gvd (maar zij zei keurig svp) nou eindelijk eens wilde
kappen met dat kleinejongetjesgedoe.

zeggen noch schrijven dat de me
en er epidemie uitzien om

Het Nationa
Voorleeson/b

80   *Daar had ze natuurlijk groot gelijk in. En het mooiste was nog dat hij niet in slaap kon komen omdat hij weer eens lag te malen over Diana de Boer, haar eigenste beste vriendin.*

Op het brede trottoir voor Floraliamia blijkt zij geconcentreerd in de weer met de grote plantenspuit. Aandachtig loopt ze alle platte bakken met viooltjes langs.

'Een hele goede morgen Diana,' heeft hij net gezegd.

'O, hallo Jan, en insgelijks,' is haar reactie.

En knikkend naar de veldkijker om zijn hals vraagt ze bewonderend: 'Ga je weer veilig over ons waken?'

'Ach, gewoon een beetje de vliegbewegingen in de gaten houden,' zegt hij bescheiden.

Hij laveert voorzichtig tussen de beide schraagtafels door en gaat, onmerkbaar op zijn tenen, naast haar lange, lange benen een beetje staan meekijken hoe zij dat dan zo allegaar doet, al die violen nathouden.

En dan slaat, in elk geval wat hem betreft, de vlam weer eens in de pan want terwijl ze rustig doorgaat met knijpen in de handgreep van de plantenspuit, zegt zij een beetje dromerig: 'Ik spuit ze recht in hun gezichtjes, want dat vinden ze lekker!'

Dat zinnetje doet het 'm.

Vanaf vandaag, dat weet hij nu al zeker, zal hij de geluidsband met haar een beetje hese stem nog duizend keer afdraaien: 'Ik spuit ze recht in hun gezichtjes, want dat vinden ze lekker!'

Nou, als dat geen schat van een vrouw is dan weet hij het niet meer. Wat hij vooral zo intens lief aan haar vindt is dat zij die honderden weerloze viooltjes beschouwt als menselijke wezentjes: 'Ik spuit ze recht in hun gezichtjes, want dat vinden ze lekker!'

Hij buigt zich voorover en duwt de hinderlijk om zijn hals wiebelende verrekijker opzij en dan, verhip als het niet waar is, ziet

donderdag	vrijdag	zaterdag	zondag
23	24	25	26
De Nationale voorleesdagen	De Nationale Voorleesdagen	De Nationale Voorleesdagen	De Nationale voorleesdagen

hij voor het eerst van zijn leven dat je in een viooltje een gezichtje 81
kunt herkennen, dus is het echt een levensles wat Diana hem hier
heeft bijgebracht – je moet ze recht in hun gezichtjes spuiten, want
dat vinden ze lekker!

Man, wat een vrouw!

Hij vergist zich nog een paar keer bij het afrekenen, in haar
voordeel natuurlijk, en dan verlaat hij Floraliamia met het boeket
onder zijn arm en hoteldebotel als hij is, slaat hij niet rechts maar
links af, terwijl Diana weer vrolijk verder gaat met spuiten.

Nu krijgen de hortensia's ervan langs.

Die hebben geen gezichtjes, maar eerder bolle toeten.

Hij moet eigenlijk op zijn schreden terugkeren, anders loopt hij
een belachelijk stuk om naar huis, maar hij durft haar niet nog
een keer te passeren. Er klinkt al een tijdje naderbij komend ge-
zang van zware mannenstemmen, maar hij hoort ze nu pas want
in ieder oor heeft hij een andere fluittoon.

ONDER DE LANTAREN, BIJ DE GROTE POORT,

VRIJEN VELE PAREN BIJ AVOND ONGESTOORD

Ze komen snel dichterbij en hij probeert het boeket achter zijn
rug te houden, uit het zicht, maar de stelen blijven steken achter
de riem van zijn veldkijker.

ALS IK VAN BOORD KOM, GA'K METEEN

TERSTOND NAAR DIE LANTAREN HEEN

De riem zit helemaal gedraaid. Dat rotboeket ook!

MET JOU, LILI MARLEEN, MET JOU, LILI MARLEEN!

Daar zijn ze. Vlug iets doen. Gauw de kijker voor zijn ogen. Dat
lukt alleen achterstevoren. Pokkeschoonouders! Het zingen is ge-
stopt. De sergeant komt in stilte op hem af en houdt zijn hoofd
scheef, ziet hij uit zijn zijoog.

'Zoekt u iets mijnheer?' vraagt hij aan J. Treurniet.

'Geen bijzonderheden sergeant,' antwoordt deze ferm.

week 5

maandag
27
De
Nationale
Voorlees-
dagen

dinsdag
28
De
Nationale
Voorlees-
dagen

woensdag
29
De Nationale
Voorleesdag

82   Het fluiten is opgehouden.

'Misschien dat u wél iets bijzonders te zien krijgt als u die mooie kijker andersom houdt', zegt de sergeant met enige stemverheffing; 'denken jullie ook niet mannen?'

Sommige soldaten lachen hardop en de anderen zeggen netjes rabarberrabarberrabarber, zoals het hun in de opleiding geleerd is.

Jan Treurniet laat zijn kijker zakken en lacht schaapachtig mee.

'Dat is overigens een fraai exemplaar dat u daar heeft,' knikt de sergeant, met die karakteristieke, complimenteus gekrulde onderlip van hem.

Nu krijgt J. Treurniet een pracht van een vaderlandslievend idee.

'Die is voor ú sergeant,' zegt hij ferm, en worstelend probeert hij de draagriem over zijn hoofd te sjorren, maar het boeket zit ertussen en de sergeant moet hem helpen bevrijden.

'Voor mij?' vraagt de sergeant oprecht verbaasd. 'Die mooie veldkijker? Want de waarde hiervan schat ik toch minstens op negen gulden en vijfenzeventig cents. En ik heb zelf overigens al een organieke kijker, zijnde sergeant afstandmeter.'

'Dan is deze kijker voor de korporaal,' beslist Jan Treurniet en hij wijst precies de goede militair aan.

'Tja, dat zou wel prachtig zijn, want twee zien natuurlijk meer dan een,' peinst de sergeant. 'Nietwaar, korporaal Wilschut? En die schitterende bloemen, zijn die ook voor ons?' vraagt hij vervolgens guitig.

'Nee,' lacht Jan Treurniet nu vrolijk mee, 'daar moet ik vanavond onbeperkt schol mee eten.'

Enzovoort.

Mijn vader had ook nog kunnen vragen of Treurniet zijn kijker dan zomaar kon missen en deze had kunnen antwoorden dat hij bij zijn neef, Hans Treurniet, die te Berkel en Rodenrijs

donderdag	vrijdag	zaterdag	zondag
30	31	1	2

De Nationale Voorleesdagen
Xerfdag eschka Reijsing 2012

De Nationale Voorleesdagen

De Nationale Voorleesdagen

opticien is, de kijkers zomaar voor het uitzoeken had en ook nog tegen een flinke korting.

Of ze waren even samen apart van de soldaten gaan staan en mijn vader had Treurniet uitgelegd dat hij een schadevergoeding voor zijn afgegeven kijker kon aanvragen en dan zou deze sergeant, zo, ziet u wel, even een vorderingsbewijsje in elkaar flanzen.

Maar ik heb hier genoeg van. Zo kom ik niet verder.

Zal ik dan zelf maar afreizen en daar voor een week een hotelkamer huren, om overdag op mijn gemak door de hoofdstraten van Berkel en Rodenrijs te kuieren en op goed geluk links en rechts wat mannen van mijn eigen leeftijd aan te klampen, hun een consumptie te offreren, wanneer het klikt eventueel samen een biljartje te leggen en tussen twee caramboles door informeren of deze toevallige dorpsbewoner ooit ene J. Treurniet heeft gekend, van wie in de meidagen van 1940 een veldkijker schijnt te zijn gevorderd?

Makkelijk gezegd. Want wist u dat Berkel en Rodenrijs zevenenveertig particulieren en bedrijven telt met de naam Treurniet? Waaronder twee Mengvoederbedrijven Treurniet, een Opticien Treurniet, Tankstation en Garagebedrijf Treurniet, Muziekschool Treurniet, Kruidenier Treurniet en Begrafenisonderneming Treurniet.

En jammer genoeg geen Feestartikelenwinkel Treurniet.

Ik zit graag rond middernacht aan de keukentafel met de radio en de televisie uit maar met een fles wijn aan. En een pen of een potlood en een agenda, notitieboekje of schrijfblok.

Geen laptop, iPhone, tablet, of iPad, want dan komen ze niet, de diertjes. Nee, ouderwets papier moeten zij hebben. Papier is een voortzetting van de natuur, maar dan binnenshuis.

week 6	maandag	dinsdag	woensdag
m 3 10 17 24	**3**	**4**	**5**
d 4 11 18 25			
w 5 12 19 26			
d 6 13 20 27			
v 7 14 21 28			
z 1 8 15 22			
z 2 9 16 23			

84   Blijf kalmpjes een kwartiertje staren naar het witte vel of blanco vlak. Niet ongeduldig gaan zitten draaien.

Gegarandeerd verschijnt er dan een zeer klein levend wezen, plotsklaps, volmaakt onhoorbaar en uit het niets. Ook vulpeninkt staat blijkbaar dicht bij ze, want daar is hij weer, mijn minuscule nachtvriend.

Dit keer is hij rood. Een onwaarschijnlijk gering spinnetje; alsof je hem door de verkeerde kant van een verrekijker ziet.

Werkend op de laptop overkomt mij dit nu nooit. Die wordt hoogstens bezocht door lompe vliegen; insecten zonder verhaal of mysterie die in hun hardnekkige opdringerigheid aan opgefokte hooligans doen denken. Lieveheersbeestjes zijn vanzelfsprekend ook graag geziene gasten, maar zodra je hun eeuwige zeven stippen hebt geteld is de lol er wel vanaf – wat geheimzinnigheid en onvoorspelbaar gedrag betreft is een lieveheersbeestje even weinig boeiend als een Volkswagen uit de jaren zestig. Nee, zeer kleine spinachtigen en microscopische torretjes zijn de ware papiervrienden en vormen het inspirerendste gezelschap.

Er moet een nieuwe vergelijkingsmaat voor hun luttelheid verzonnen worden; de spreekwoordelijke speldenknop voldoet niet langer.

Zo klein als een pixel, kun je dat zeggen? Hoe heet jij? Ben je gedetermineerd en heb je een soortnaam? Hoe oud kun jij worden?

Een dag? Een jaar? Hoeveel pootjes heeft dit en legt het eitjes?

Ik trek een inktcirkeltje om hem heen.

Vormt dat een onneembare hindernis, als ware het een schutting waar hij overheen moet klimmen?

En zo ja: weet ik dan iets meer van hem? Of heb ik te maken

donderdag 6	vrijdag 7	zaterdag 8	zondag 9

met een vrouwtje? Kijk nou toch. Mijn schrijfblok heeft een ringband en in de middenberm tussen twee pagina's zitten negentien dubbelsporige, wit geplastificeerde ringetjes, die verdwijnen in kleine, vierkant uitgestanste gaatjes. Die gaat hij langs, stuk voor stuk, steeds op hetzelfde holletje, dat hij af en toe onderbreekt voor korte stopjes, als een onwillige rits-sluiting. Ronde bochten kent hij niet. Hij maakt ze haaks, dat gaat sneller. Maar vanwaar die haast? Waar is hij naar op zoek? Nu stopt hij bij gaatje acht, kijkt kennelijk over de rand in de duizelingwekkende diepte, deinst terug, gaat dan op weg naar afgrond nummer negen. Ik volg zijn reis met het blote oog, want ik vind dat het gebruik van een loep in deze gevallen incorrect is: ook de kleinste schepselen hebben recht op pri-vacy. Zo'n hulpmiddel verkleint onze optische afstand, maar er zit iets tussen ons in, waardoor wij minder samen zijn.

Laat mij, als amateurtaxonoom, de kleinst mogelijke bij-drage leveren aan het beschrijven van de aardse biodiversiteit en dit wezentje voorlopig de papiervlo noemen. Dit naar ana-logie van de bestaande zandvlo.

Te denken dat er toch zes decennia zijn verstreken – ik droeg nog geen lange broek – waarin ik oordeelde dat zo'n papiervlo hinderlijk was en dat ik mij verstoutte hem te minachten, wat mij het recht gaf dit schepseltje met een geërgerd handgebaar van het maagdelijke vel te vegen, omdat hij het neerpennen van mijn grootse gedachten belemmerde. Alsof daar briljante woorden stonden, waar het diertje hinderlijk overheen liep, zodat ik mijn eigen parels niet goed kon lezen.

Wanneer insecten kleine machientjes zouden zijn, door mensenhanden vervaardigd, waren wij graag bereid 4,99 euro te betalen voor een heus vliegend vliegje, maar nu slaan wij het dood.

papiervlootje

| week 7 | maandag 10 | dinsdag 11 | woensdag 12 |

ca. 40x vergroot

86   Wat kan het toch lang duren voordat je begrijpt dat de sim-
pele bezigheid van dit werkeloze toekijken je dichter bij het eigen
levenswezen brengt dan alles wat je ooit te schrijven droomt.
Of iets in die geest.

In 1861 noteert Jean-Henri Fabre:

> *Is het niet om te huilen dat de heren professoren, uitsluitend
> gedreven door ijdelheid, hun uiterste best doen om als eerste
> een geleedpotig insect te benoemen, in de hoop dat hun eigen
> naam zal voortleven in de almaar uitdijende entomologische
> nomenclatuur, zonder dat zij, dit in tegenstelling tot de ware
> bioloog, ook maar het geringste idee hebben van de verborgen
> aard en leefwijze van het wezentje in kwestie?*

Ik kan nog maar één ophelderingspoging bedenken. Hoewel
ik hier erg tegenop zie, besluit ik een doelgericht rondje te tele-
foneren.

Om de Berkel en Rodenrijse neringdoenden niet te storen,
doe ik dit op drie Europacupvrije avonden, tussen halfnegen
en halftien.

De eerste vijf gesprekken verlopen ronduit moeizaam en
worden gekenmerkt door gestoethaspel aan deze en argwaan
aan de andere kant van de lijn. Zodra het woord 'verrekijker'
valt voelt de gebelde zich min of meer gefopt en is men bang
dat ons telefoongesprek wordt opgenomen. Maar gaandeweg
ontspan ik en begin ik samenhangender te formuleren en dan
blijken de meeste Treurnieten behulpzame en zelfs goedge-
mutste types.

Bij de achtste telefonade lijkt het raak te zijn.

donderdag 13	vrijdag 14	zaterdag 15	zondag 16

Ik krijg een vrolijke en openhartige zestiger aan de lijn, die ongevraagd zijn beroep en leeftijd meedeelt, maar wel onder de voorwaarde dat ik zijn naam (de achternaam was Treurniet, maar alla) en zijn huisadres niet openbaar zal maken en dat de meisjesnaam van zijn moeder geheim blijft en ook waar zij woont, want zij dient elke eventuele emotie te vermijden.

'Maar uw moeder weet van een verrekijker?'

'Nou ja, dat hoop ik dus voor u. Dat van die sergeant en zijn soldaten, dat was wel altijd een vast verhaal op familieverjaardagen en zo. Maar ik weet niet of zij dat nog een beetje samenhangend kan vertellen.'

'Mag ik vragen hoe oud uw moeder is?'

'Mijn moeder is momenteel tweeëntachtig.'

'En zij heeft mijnheer J. Treurniet persoonlijk gekend?'

'Dat kunt u zo wel zeggen, ja. Want dat was dus haar vader, Jacob. Mijn opa. Verschrikkelijk lieve man. Maar zelf leeft die niet meer hoor, Jacob Treurniet.'

'Zoudt u mij in dat geval het telefoonnummer van uw moeder kunnen geven?'

'Nee, want dat mobieltje daar zijn wij mee opgehouden. Dat werden op het laatst honderden euro's per maand, omdat zij hem steeds maar liet aanstaan en kwijt was. Maar ik heb het nummer van het verzorgingshuis voor u. Prachtig zit ze daar. Alles gelijkvloers en recht aan die doodstille straat. U moet vragen naar zuster Jasmien. Wanneer wilde u gaan?'

'Eerlijk gezegd het liefst morgen, meneer Treurniet. In elk geval deze week nog, als het gelegen komt.'

'Ik zou graag met u meegaan, maar ik heb net een nieuwe heup.'

Oma kocht altoos

week 8	maandag	dinsdag	woensdag
	17	18	19

88 Moderne mensen van mijn leeftijd verklaren om de haverklap dat zij het belangrijk vinden om regelmatig contact met jongeren te houden.

Hierdoor blijven zij zelf immers ook zo heerlijk jong. Bij mij werkt die weeromstuit andersom: ik ga bij voorkeur om met oude mensen, liefst nog ouder dan ik zelf ben. Enorm jong voel ik mij dan.

Hoe jong de oude mensen om mij heen ook zijn, ik tracht het altijd zo te plooien dat ik de allerjongste lijk.

Maak ik bijvoorbeeld een wandeling met oude mensen in de natuur en komen wij een hekje tegen, dan versnel ik moeiteloos mijn pas om het voor hen open te houden, zodat zij zonder mankeren kunnen passeren.

Als de laatste oude mens hier dan veilig voorbij is, trek ik het hekje weer dicht, roep ik Hoehoe!, wacht tot ze allemaal omkijken en spring er vervolgens zelf overheen. Probeer dit althans. Kijk, dat houdt mij lichamelijk zo benijdenswaardig jong.

Geestelijk jong blijven vind ik misschien nog wel belangrijker. Daarom mag ik ook zo graag naar oude mensen luisteren. Naar alle verhalen over hun teleurstellingen en kwalen. Dat doe ik regelmatig en met eindeloos geduld. Hoe langer ik naar ze luister, des te jonger ik mij voel. Ach, het is in wezen allemaal behaagzucht, die niemand kwaad doet.

Ik parkeer mijn auto tegenover het opgegeven adres in D.

Ik ben een halfuur te vroeg en zo zenuwachtig als ik in geen jaren meer geweest ben voor een ontmoeting.

Het is lekker weer, dus loop ik eerst nog wat heen en weer.

Ik heb een bos bloemen voor mevrouw X-Treurniet gekocht, bij het tankstation, maar dat hoeft zij niet te weten.

donderdag 20	vrijdag 21	zaterdag 22	zondag 23

selectie DE BEST VERZORGDE BOEKEN

En trouwens, als je daar de duurste bos neemt, zijn ze niet van echte bloemen te onderscheiden.

En ik heb de kijker van haar vader bij me, plus een kopie van het schrijven van Van Holthoon, dus mij dunkt.

Het album heb ik thuisgelaten, want ik ken die oude dames. Dat moet foto voor foto worden bekeken en dan zit ik straks weer midden in de spits.

Maar ik keer op mijn schreden terug, want ik loop een beetje voor gek zo met die spullen, dus die moeten nog maar even in de auto.

Die bloemen zijn tot daaraan toe, maar iemand die met een verrekijker door zo'n stille straat gaat wekt angst of paranoia.

Op de vijftig meter terugweg naar mijn auto tel ik zeven haarelastiekjes. Die raap ik allemaal van de stoep, zij het met enige moeite door de grote bos bloemen. Dat is geen fetisjisme van me en ook niet vies, maar juist reuzenetjes. Weet u wat die vrolijk gekleurde haarelastiekjes kosten? Gemiddeld € 3,99 per vijf stuks! Dat is dus bijna twee gulden per elastiekje. Een jaar geleden voelde ik nog heel even medelijden met alle anonieme meisjes die kennelijk hun dure elastiekjes waren verloren, maar zal ik u nu eens wat zeggen? Dit is geen kwestie van verliezen, maar van ordinaire spilzucht en verveling.

Op een gegeven moment hebben ze er gewoon genoeg van of wil zo'n wispelturig nest ineens d'r haar helemaal anders. En dan doen ze hun dure gouden, zilveren of gekleurde elastiekje af en dat laten ze doodleuk achter op mijn trottoir.

Thuis kook ik ze natuurlijk keurig uit, in een speciaal hiervoor gereserveerd steelpannetje en dan zijn ze weer als nieuw en bewaar ik ze in een aparte lade van mijn bureau tot ik wat verzonnen heb om ermee te doen, bijvoorbeeld iets van kunst ervan maken en dat *Wegwerpmaatschappij* noemen.

89

en op de nog altijd tot verve
beoeelde vraag of hij een
was, kon de schrijver naa
altijd een hartstochve

90   Maar het kan ook zijn dat ik door al dat speuren van de laatste maanden zelf een beetje paranoïde ben geworden en door mijn ingebouwde verrekijker allerlei kleine dingen begin op te merken die ik overdreven uitvergroot. Dit moet ik onder ogen durven zien.

Het is tijd, ik mag naar binnen. Ieder nieuw verzorgingshuis is wreder dan het vorige. Zuster Jasmien, ik heb veel over u gehoord. Ja hoor, makkelijk kunnen vinden. Ah, daar bent u. Dag mevrouw ZoudenwenietverklappenstreepjeTreurniet. Alstublieft.

Ach dat is toch veel te gek. Hebben we wel zo'n grote vaas, Jasmien?

Ook deze lieve mevrouw op leeftijd is lid van de anonieme, direct na de bevrijding opgerichte stichting Vensterbanken voor de Wereldvrede, de mondiale binnenhuisetaleerbeweging die in Nederland honderdduizenden enthousiaste aanhangers telt.

Keurig in het midden staat een koperen vaasje met gedroogde lavendel en links en rechts hiervan vier kabouters op klompjes en met kruiwagen, een verzilverd tafelbelletje, een beschilderde maasbal, Bambi en Sneeuwwitje, twee door kind of kleinkind op handenarbeidles gemaakte luciferdoosjeshouders, een gefiguurzaagde eend, het koperen mansbakje, drie nooit gebrande kaarsen in haastig geknede kandelaars en, hier om en om tussen, een tiental duttende vetplantjes en staande fotolijstjes met stralende neven en nichten van wie de helft is overleden, maar van de nog levenden moeten wij de hartelijke groeten hebben.

Indien uw ouders of grootouders ook zo'n bedrijvige vensterbank aan de straatkant beheren, legt u dit idyllische raamlandschap dan vast nu het nog kan, want ik heb spijt als haren

e gestelde, onthullend
n- of een Billenman
en geweten antwoorden
genman te zijn.

op mijn hoofd dat ik dit bij mijn ouderlijk benedenhuis nooit
heb gedaan nadat ik mijn fiets daar op slot had gezet; even
snel maar voor eeuwig, met mijn cameraatje in de panorama-
stand.

En nu overhandig ik mevrouw X-Treurniet de kijker en ik zeg:
'Ziezo, mevrouw, hier heeft u hem eindelijk terug.'
 Zij vraagt of ik nu alweer weg moet.
 Ik zeg: 'Nee, terug. De kijker van uw vader. Hier is-ie einde-
lijk terug.'
 Zij zegt: 'Dat is hem niet.'
 Ik lach: 'Nou en of.'
 Mevrouw pakt de kijker en zegt: 'Deze is veel groter dan die
van ons was.'
 Ik zeg: 'Ja, maar toen was u zelf ook nog veel kleiner natuur-
lijk.'
 Verwarring. Aan zuster Jasmien heb ik niks.
 – Mevrouw?
 – Ja, meneer?
 – Uw vader had een verrekijker.
 – O ja, wel tien.
 – Hoe bedoelt u tien?
 – Of misschien wel twintig.
 – Twintig verrekijkers??
 – U moet rekenen: hij was een verzamelaar.
 – Wat verzamelde hij dan, uw vader?
 – Verrekijkers. Alle soorten verrekijkers. De vensterbank stond
er vol mee.
 – En deze hoorde daarbij?
 – Toen kon dat nog gewoon, open en bloot voor het raam.
 – Was dit er eentje van die twintig?

week 10	maandag	dinsdag	woensdag
m 3 10 17 24 31	**3**	**4**	**5**
d 4 11 18 25			
w 5 12 19 26			
d 6 13 20 27			
v 7 14 21 28			
z 1 8 15 22 29			
z 2 9 16 23 30			

sterfdag
Karel van
het Reve,
1999

92

– Nee, deze heb ik nog nooit gezien.

– Mevrouw?

– Wat vind ik het leuk dat u zo inenen even langskomt.

– Ja. Ikzelf ook. Maar op een dag komen er soldaten langs.

– O gut.

– Nee niet hier. Maar toen. Er kwamen soldaten langs.

– O ja.

– In Berkel en Rodenrijs. Weet u dat nog?

– Jawel. Ik stond buiten, met mijn vader. Voor ons huis, op de Appelsche Dijk.

– En toen was er een sergeant...

– O ja, dat was zo'n aardige man...

– Dat was mijn vader.

– Leeft uw vader nog?

– Helaas. Maar hij zei toen tegen uw vader: Geef hier, die kijker.

– Nee hoor, helemaal niet.

– Nou ja, in andere bewoordingen dan natuurlijk.

– Mijn vader, die zei dat.

– Wat zei uw vader?

– Dat de sergeant onze kijker eens moest proberen.

– En waar was die kijker dan?

– Die had ik om mijn hals.

– Had u een kijker om uw hals?

– Ja, de kijker van mijn vader.

– Waarom had u die dan om uw hals?

– Ik had elke dag een kijker om mijn hals. Omdat mijn vader daar zo groots op was, op zijn kijkers. Wacht, ik kan het u laten zien.

Mijn gastvrouw zucht vrolijk gutteguttegut, staat op uit haar stoel bij het raam, loopt naar haar dressoir, schuift de bovenste lade open, trekt er een fotoalbum uit, klapt dit open op de

donderdag 6	vrijdag 7	zaterdag 8	zondag 9
Uitreiking Woutertje Pieterse Prijs 2014	*BOEKENBAL 2014 AMSTERDAM*	*Start Boekenweek De Stripdagen GORINCHEM uitreiking Stripschapprijs*	*Boekenweek De Stripdagen, GORINCHEM*

plaats waar een ansichtkaart tussen de pagina's is gestoken,   93
schuifelt terug, legt het op de gepolitoerde Oisterwijkse tafel
tussen ons in, wijst op een staande zwart-witfoto van 6 bij 9 centimeter exclusief de kartelrand en zegt: 'Dat zijn vader en ik.'

2 april 1940, staat er in rode inkt onder geschreven, meer niet.

Naast een boom van een man in een half opengeknoopte
overall, waaronder bretels over een wit overhemd met losse
boord, staat een lachend meisje in een kort wit jurkje, met ge-
breide kniekousen waarvan er eentje is afgezakt. Op klompen.
Vlechtjes met twee witte strikken. Om haar hals hangt een
kijker die tweemaal kleiner is dan de onze; het lijkt mij eerder
een toneelkijker dan een veldkijker.

– Prachtig, prachtig, zucht ik, werkelijk schitterend. Wie heeft
deze foto gemaakt?

– De sergeant.

– Welke sergeant?

– Uw vader.

– Maar wanneer dan?

– Toen hij de kijker terug kwam brengen.

– Dus hij heeft hem helemaal niet gevorderd?

– Nee, alleen even geleend. Want dat wou mijn vader. Dat hij
kon zien hoe goed onze kijker was.

– Maar waarom heeft uw vader deze brief dan geschreven?

Voor het eerst vallen we stil, mevrouw en ik.

Gelukkig komt Jasmien binnen, met de koffie.

Dan mokt mevrouw X-Treurniet:

– Dat was mijn moeder. Mijn moeder was een bezoeking. Die
was echt ziekelijk op de penning. Ze bleef dood op een halve
cent. Overal geld uit willen slaan. Terwijl de sergeant onze kijker alleen maar een uurtje geleend had. Nota bene op aan-
dringen van mijn vader. Maar dan toch zeggen van: nou, ze

week 11	maandag	dinsdag	woensdag
	10	11	12
	Boekenweek	*Boekenweek*	*Boekenweek*
	Bekend-making shortlist Libris Literatuurprijs		

94   hebben hem toch zeker gebruikt, onze kijker? Daar moeten ze voor betalen. Het leger heeft geld genoeg. Wat één kogel al niet kost. Dus toen liet ze mijn vader een brief schrijven. Het idee: negen gulden vijfenzeventig voor anderhalf uur een kijker lenen! Daar kon je op Scheveningen de hele dag een ezeltje voor huren! Het was gewoon een heel naar mens. Ze kocht zelfs vaders ondergoed. En altijd het goedkoopste van het goedkoopste. Weet u wat wij zeiden als moeder weer eens wat kwijt was? Haar portemonnee, of de gasaansteker, of de sleutel van de schuur? Geef de sergeant maar weer de schuld! riepen wij dan, vader en ik. Of we zeiden: schrijf maar een brief aan Willem Drees. Nog tot jaren na de oorlog. Nee, 't is zonde dat ik het zeg, maar ik hield dubbel zoveel van mijn vader.

Ik heb het hele familiealbum van mevrouw mogen bekijken, maar de door mijn vader genomen foto – *die heeft de sergeant ons keurig opgestuurd* – was de mooiste. Daarna hebben mevrouw en ik nog heel gezellig gepraat. Wij waren het er onder andere roerend over eens dat er na *De Familie Doorsnee* van Annie M.G. Schmidt nooit meer iets leuks op de Nederlandse radio te horen is geweest.

Ik ben te opgefokt om meteen weer de file terug naar Amsterdam te nemen en blijf eerst nog een tijdje in mijn auto zitten, geparkeerd aan de rand van een rustgevend breed stadswater.

    Ik draai mijn kijker helemaal uit.

    In elk van de twee geelkoperen kijkbuizen staat *Navy & Army* geëtst.

    Ik tuur naar de overkant. Zat Vermeer hier niet ongeveer, voor zijn *Gezicht op D.*?

    Daar is dan niks meer van over. Of hij zat ergens anders.

donderdag	vrijdag	zaterdag	zondag
13	14	15	16
Boekenweek	*Boekenweek*	*Boekenweek*	*Boekenweek*

Ik laat de kijker zakken, op mijn knieën.

En dan valt het kwartje, of liever gezegd: de zilveren knaak rinkeldekinkelt.

En ik hou weer net zo van mijn vader als toen op ons balkon.

Want dit is geen veldkijker maar een zeekijker, en hij was natuurlijk van mijn opa: *Sippahooi sippahooi!*

Wanneer ik de volgende morgen het Album plechtig heb overhandigd aan de conservator van het NIOD, voelt het alsof ik mijn kind voor de eerste dag naar de lagere school heb gebracht.

Van KEES VAN KOOTEN verschenen
bij DE BEZIGE BIJ: